**Fascicule 2 :
les conducteurs
et les isolateurs**

**Vocabulaire illustré
des lignes aériennes
de transport et de distribution
d'électricité**

Première édition 1983
Nouveau tirage 1990

Dépôt légal — 4e trimestre 1983
Bibliothèque nationale du Québec
Bibliothèque nationale du Canada
ISBN 2-550-10503-6

963-2158

Le fascicule 2 du vocabulaire a été réalisé par

la division Terminologie et Documentation
Service Rédaction et Terminologie
Direction Édition et Production

avec la collaboration du

Comité de référence des lignes aériennes
d'Hydro-Québec

composé de

Marie Archambault, remplacée par Denise Lemay
de mai à décembre 1982
Service Rédaction et Terminologie

Jean-Pierre Bellerive
Direction Appareillage

Roland Bourgault, remplacé par Khiem Duy Nguyen
en janvier 1983
Direction Construction

Pauline Jourdain
Direction Distribution

Nick Piperni
Direction Ingénierie de lignes

Gigi Vidal
Coordonnatrice du comité
Service Rédaction et Terminologie

Illustrations :

Daniel Rhéaume
Service Formation technique et Systèmes d'information
Direction Appareillage

Graphisme :

Ginette Grégoire
Service Publicité
Direction Édition et Production

Avant-propos

Le *Vocabulaire illustré des lignes aériennes de transport et de distribution d'électricité* vise à normaliser la terminologie des lignes au sein d'Hydro-Québec. Il s'adresse au personnel d'Hydro-Québec, de même qu'aux consultants et aux entrepreneurs chargés de travaux dans ce domaine.

Le vocabulaire se présente en quatre fascicules: le premier porte sur les supports, le deuxième, sur les conducteurs et les isolateurs, le troisième, sur la conception et la construction des lignes et le quatrième sur l'entretien. Dans chaque fascicule, les termes sont classés par ordre alphabétique, à l'intérieur de subdivisions qui les regroupent suivant un ordre logique. Un index, qui se trouve à la fin du fascicule, permet de retracer rapidement un terme isolé. Règle générale, on peut également trouver un terme à partir de son équivalent anglais en consultant l'index des termes anglais qui fait suite à l'index des termes français.

Les termes présentés dans le vocabulaire ont été choisis par le Comité de référence des lignes aériennes d'Hydro-Québec. Ce comité a été constitué en juillet 1980 par le service Rédaction et Terminologie, qui en assure également la coordination. Il est composé de spécialistes des domaines de la conception, de la construction et de l'exploitation des lignes et d'une termi-nologue du service Rédaction et Terminologie. Le comité a convenu d'adopter la terminologie française en usage à l'échelle internationale, sauf lorsque des réalités spécifiquement nord-américaines amenaient à s'en écarter et à proposer un terme nouveau. Par contre, les termes anglais n'ont pas été normalisés ; ils ne figurent dans le vocabulaire qu'à titre informatif.

Au fur et à mesure de l'élaboration du vocabulaire, les membres du comité ont mené des
consultations au sein de leur direction. En dernière étape, la consultation a été étendue à
d'autres unités administratives susceptibles
d'utiliser la terminologie des lignes aériennes.
Nous remercions toutes les personnes consultées
de leur collaboration, ainsi que toutes celles qui
ont participé à la réalisation du vocabulaire.

Nous espérons que le présent document saura
être utile et que les utilisateurs voudront bien
communiquer leurs observations et leurs
critiques au service Rédaction et Terminologie.

Notes préliminaires

Les termes du vocabulaire ont été systémati-
quement définis. Les chiffres donnés entre
parenthèses à la suite des définitions indiquent
la ou les sources consultées et renvoient à la
section « Références ».

Quand plusieurs termes précèdent une définition, le premier est celui que privilégie le comité.
Les synonymes sont donnés immédiatement
au-dessous et énumérés par ordre de préférence. Les mots entre parenthèses à la fin
ou au milieu d'un terme sont d'usage facultatif.

Une note, c'est-à-dire un paragraphe ou un
groupe de paragraphes précédé d'un point, suit
parfois la définition ; on y trouve des explica-
tions complémentaires ou la mention d'un terme
à éviter. Dans certains cas, la mention V.a.
(voir aussi) renvoie à un ou plusieurs autres
termes qui ont une certaine relation avec le
terme traité.

Viennent ensuite le ou les équivalents anglais.
Quand plusieurs équivalents sont donnés, ils
sont énumérés suivant la fréquence d'utilisation,
le plus fréquent apparaissant en premier.

Enfin, une ou plusieurs illustrations accom-
pagnent la plupart des termes définis.

1. Conducteurs

1.1 Constitution et caractéristiques

1. âme

Fil ou ensemble de fils de même nature qui constitue la partie centrale d'un conducteur nu hétérogène et qui assure la majeure partie de la résistance mécanique. (5, 6, 19, 24, 53)

● Habituellement, l'âme est faite d'un ensemble de fils ; elle s'appelle alors plus précisément « âme câblée » (stranded core). Si la partie centrale du conducteur est constituée d'un seul fil, on parle d'« âme massive » (solid core).

V.a. câblage

Core

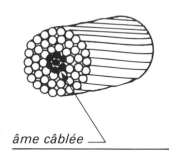

âme câblée

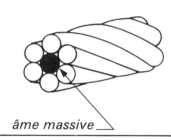

âme massive

2. câblage

Action de tordre des fils ou des torons en hélice, de façon à former un câble. (5, 6, 19, 24, 53, 55, 56)

Stranding
Closing (of strands)

3. câble
conducteur câblé

Ensemble généralement constitué par un toron recouvert de fils enroulés en hélice, sans isolation entre eux, en une ou plusieurs couches de sens alterné. En certains cas, un câble est constitué par plusieurs torons enroulés en hélice, sans isolation entre eux, en une ou plusieurs couches. (1, 4, 5, 6, 10, 15, 24, 55)

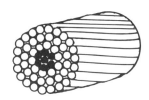

● Quand il s'agit des lignes souter-raines, le terme « câble » désigne un ensemble de plusieurs conducteurs électriquement distincts et mécanique-ment solidaires, généralement sous un ou des revêtements protecteurs (gaine, tresse, armature, etc.).

V.a. conducteur (de ligne), toron

Stranded conductor

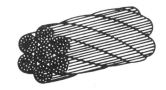

4. conducteur (de ligne)

Élément d'une ligne électrique ayant pour rôle spécifique de transporter le courant. (4, 5, 10, 15, 24, 53)

● Un conducteur est un câble dont on utilise la conductibilité. Les câbles de garde, les conducteurs de terre et les contrepoids ont, comme les conduc-teurs de phase, des propriétés élec-triques. Ce sont donc des conducteurs. Par contre, le hauban, lorsqu'il n'a qu'une fonction mécanique, n'est pas un conducteur.

V.a. câble

(Line) conductor

5. couche

Ensemble des fils d'un câble ou d'un toron, disposés selon un cylindre de rayon constant et ayant même axe que le câble ou le toron, enroulé dans le même sens et avec le même pas de câblage. (5, 6, 24, 53)

● On compte les couches à partir du fil central, celui-ci ne constituant pas la première couche.

Layer

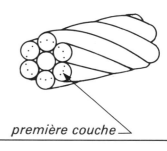

première couche

6. fil
brin

Élément le plus simple utilisé dans la confection d'un câble ou d'un toron. (5, 6, 15, 24, 53, 55)

Wire
Strand

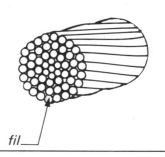

fil

7. pas de câblage

Longueur axiale d'un tour complet de l'hélice formée par un fil ou un toron dans un câble. (6, 24, 53, 54)

Length of lay

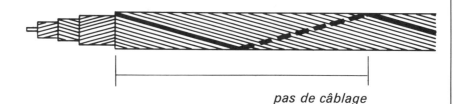

pas de câblage

8. rapport de câblage

Rapport entre le pas de câblage et le diamètre extérieur de l'hélice formée par un fil ou un toron dans un câble. (24, 53, 54)

Lay ratio

9. sens de câblage

Sens de rotation de l'hélice formée par un fil ou un toron dans un câble. (6, 24, 53, 54)

• Lorsque le câble est tenu verticalement, les fils peuvent s'enrouler soit suivant la partie droite de la lettre V, soit suivant la partie gauche de cette même lettre. Dans le premier cas le sens de câblage est dit « à droite », dans le second cas il est dit « à gauche ».

Direction of lay

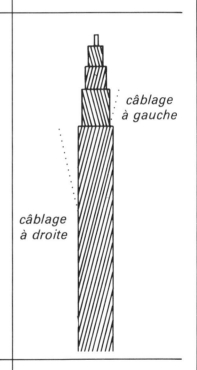

câblage à gauche

câblage à droite

10. toron

Élément de câble composé de plusieurs fils enroulés en hélice, sans isolation entre eux, régulièrement placés les uns par rapport aux autres en une ou plusieurs couches concentriques superposées de sens alterné. (1, 4, 6, 15, 24, 55)

Strand

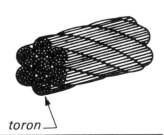

toron

1.2 Types de conducteurs

11. bretelle

Courte longueur de conducteur, sans rôle mécanique, destinée à assurer la continuité électrique entre deux tronçons d'un conducteur de ligne. (1, 5, 19, 24)

● Éviter d'employer « cavalier » dans le sens de « bretelle ». « Cavalier » est un terme utilisé en électrotechnique pour désigner un dispositif à deux fiches mâles permettant d'établir un pont entre deux conducteurs.

Pour faire la distinction entre la bretelle antivibratoire, qui n'a qu'une fonction mécanique, et celle qui assure une liaison électrique, on utilise parfois l'expression « bretelle de continuité électrique » pour désigner cette dernière.

V.a. bretelle antivibratoire, connexion de shuntage

Jumper

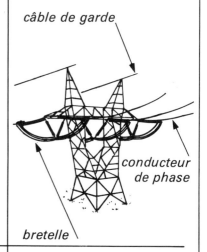

câble de garde

conducteur de phase

bretelle

12. câble de garde

Conducteur généralement mis à la terre et disposé normalement au-dessus des conducteurs de phase pour les protéger contre les coups de foudre. (1, 3, 4, 5, 6, 10, 15, 24, 53)

● Les expressions « câble de terre » et « fil de garde » s'emploient également pour désigner le câble de garde. Mais comme elles se rencontrent moins fréquemment, on utilisera de préférence le terme « câble de garde ».

L'ensemble des éléments conducteurs
(câbles de garde, conducteurs de terre,
prises de terre) qui protègent une ligne
ou une partie de ligne des courants
électriques nuisibles s'appelle « installation de (mise à la) terre » (grounding
system).

Overhead ground wire
Overhead earth wire
Shield wire
Sky wire

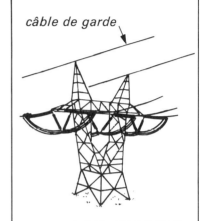

câble de garde

13. *conducteur de branchement*

Conducteur, généralement une torsade,
raccordant l'installation de l'abonné au
réseau d'alimentation (ligne de distribution ou transformateur sur poteau).
(1, 5, 15, 17, 30)

Service conductor

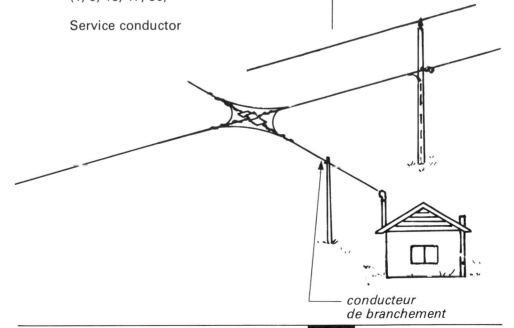

*conducteur
de branchement*

14. conducteur de (mise à la) terre

Conducteur assurant une liaison électrique entre une prise de terre et soit la masse d'un support métallique, soit le câble de garde dans le cas d'un support non métallique. (1, 4, 5, 17, 67, 88)

• Le conducteur de terre qui descend le long d'un poteau est parfois appelé « conducteur de descente ».

L'expression « fil de terre » est à éviter pour désigner le conducteur de terre.

V.a. câble de garde

Ground wire

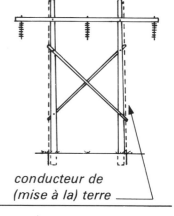

conducteur de
(mise à la) terre

15. conducteur de phase

Conducteur servant au passage de l'énergie électrique, relié à une phase du dispositif d'alimentation. (3, 5, 12, 15, 17)

V.a. conducteur neutre

Phase conductor

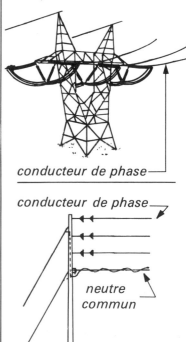

conducteur de phase

conducteur de phase

neutre
commun

16. *conducteur dérivé*

Conducteur qui forme un embranche-
ment de la ligne principale. (5, 10, 30, 59)

● L'expression « conducteur de
dérivation » s'emploie également pour
désigner le conducteur dérivé.

Lateral conductor

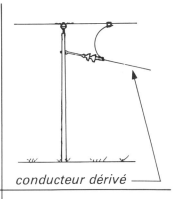

conducteur dérivé ——

17. *conducteur en alliage d'aluminium*

Conducteur homogène formé de fils en
alliage d'aluminium enroulés sur une
ou plusieurs couches de sens alterné.
(4, 5, 6, 11, 24, 53, 56, 91)

● L'un des alliages utilisés est connu
sous le nom d'« arvidal ».

All-aluminum alloy conductor (AAAC)

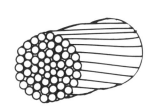

18. *conducteur en alliage d'aluminium-acier*

Conducteur hétérogène comprenant
une âme formée de fils en acier autour
de laquelle s'enroulent en hélice, sur
une ou plusieurs couches de sens
alterné, des fils en alliage d'aluminium.
(4, 5, 6, 22, 24, 56)

● L'expression « conducteur en alliage
d'alu-acier » s'emploie également pour
désigner le conducteur en alliage
d'aluminium-acier.

Aluminum alloy conductor, steel-
reinforced (AACSR)

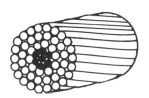

19. conducteur en aluminium

Conducteur homogène formé de fils en aluminium enroulés sur une ou plusieurs couches de sens alterné. (4, 5, 6, 11, 24, 53, 56)

All-aluminum conductor (AAC)

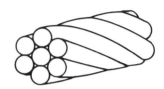

20. conducteur en aluminium-acier

Conducteur hétérogène comprenant une âme formée de fils en acier autour de laquelle s'enroulent en hélice, sur une ou plusieurs couches de sens alterné, des fils en aluminium. (4, 5, 6, 7, 11, 24, 53, 56)

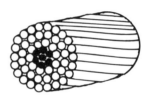

● L'expression « conducteur en alu-acier » s'emploie également pour désigner le conducteur en aluminium-acier.

Aluminum conductor, steel-reinforced (ACSR)

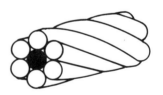

21. conducteur en alumoweld

Conducteur homogène formé de fils en acier recouverts d'une couche d'aluminium gainé sur l'acier. (4, 53)

● L'alumoweld (à l'origine une marque de commerce) est un « bimétal », c'est-à-dire un métal recouvert d'une couche d'un métal différent.

Alumoweld conductor

22. conducteur en alumoweld et aluminium

Conducteur hétérogène ne comportant pas d'âme et formé de fils en alumo-weld et d'un ou de fils en aluminium ou en alliage d'aluminium. (5, 86)

Alumoweld-aluminum conductor

23. conducteur en copperweld

Conducteur homogène formé de fils en acier recouverts d'une couche de cuivre soudé par fusion sur l'acier. (59, 86)

• Le copperweld (à l'origine une marque de commerce) est un « bi-métal », c'est-à-dire un métal recouvert d'une couche d'un métal différent.

Copperweld conductor

24. conducteur en copperweld et cuivre

Conducteur hétérogène ne comportant pas d'âme et formé de fils en copper-weld et d'un ou de fils en cuivre ou en alliage de cuivre. (5, 78)

Copperweld-copper conductor

25. conducteur en cuivre

Conducteur homogène formé de fils en cuivre. (5, 7, 11, 22)

Copper conductor

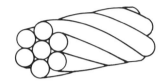

26. conducteur en faisceau faisceau (de conducteurs)

Ensemble de sous-conducteurs connectés en parallèle et maintenus à un espacement constant par des entretoises. (3, 4, 5, 6, 10, 24)

• Selon qu'il y a deux ou quatre conducteurs, on parlera de « faisceau double » ou de « faisceau quadruple » (twin or quad bundle).

V.a. conducteur simple, sous-conducteur

Bundle
Bundle conductor
Conductor bundle
Bundled conductor
Multiple conductor

conducteur simple

faisceau double

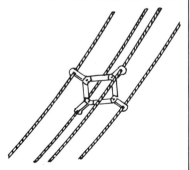

faisceau quadruple

27. *conducteur hétérogène conducteur mixte*

Conducteur composé d'un ou de fils d'un métal ou d'un alliage et de fils d'un autre métal, d'un alliage ou d'un bimétal. (4, 5, 53, 56)

● Lorsque les fils sont répartis suivant leur nature entre la partie centrale et les couches extérieures du conducteur, les premiers constituent l'âme du conducteur.

Composite conductor

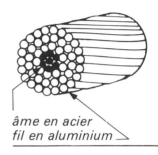

âme en acier
fil en aluminium

fil en alliage d'aluminium

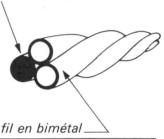

fil en bimétal

28. *conducteur homogène*

Conducteur dans lequel les fils de toutes les couches sont de même nature, étant constitués du même métal (aluminium ou cuivre), du même alliage (alliage d'aluminium) ou du même bimétal (alumoweld ou copperweld). (4, 5, 6, 29, 53, 56)

● On notera que c'est le conducteur qui est homogène, pas nécessairement chacun des fils.

All-(name of material) conductor

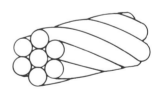

29. conducteur isolé

Ensemble comprenant des conducteurs, leur enveloppe isolante et leurs écrans éventuels. (1, 5, 15, 17, 92)

Insulated conductor

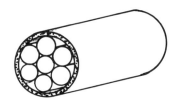

30. conducteur neutre
neutre

Conducteur relié au point neutre du réseau et transportant le courant de retour ou le courant de défaut. (1, 5, 15, 30, 58, 67)

• Les circuits de lignes de transport ne comportent pas de conducteur neutre. Dans ce cas, tous les conducteurs sont des conducteurs de phase.

L'expression « neutre commun » (common neutral conductor) désigne le conducteur neutre d'une ligne comportant un circuit à moyenne tension et un circuit à basse tension.

V.a. conducteur de phase

Neutral conductor

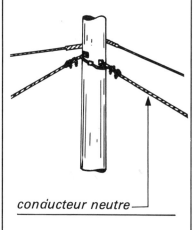

conducteur neutre

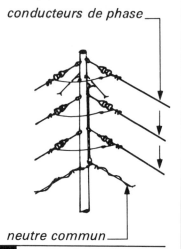

conducteurs de phase

neutre commun

31. conducteur nu

Conducteur qui n'est recouvert d'aucun élément isolant et dont l'isolation est assurée par l'atmosphère. (5, 24, 29)

Bare conductor

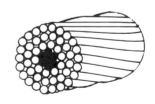

32. conducteur simple

Conducteur unique constituant la phase d'un circuit. (4, 6, 24)

V.a. conducteur en faisceau

Single conductor

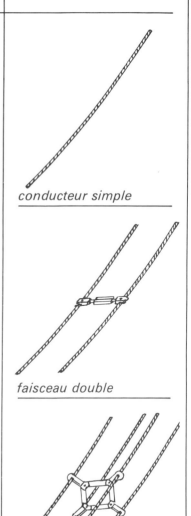

conducteur simple

faisceau double

faisceau quadruple

33. connexion de shuntage shunt

Conducteur reliant le câble de garde à la masse d'un support métallique. (4, 5, 59)

• La connexion de shuntage est parfois réalisée au moyen d'un ruban tressé.

V.a. bretelle

Shunt connection

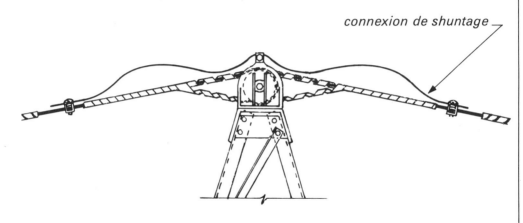

connexion de shuntage

34. contrepoids

Conducteur enterré assurant une liaison électrique entre plusieurs ou tous les supports d'une ligne aérienne et le sol, réduisant la résistance de terre des supports. (3, 5, 24)

Counterpoise
Counterpoise wire

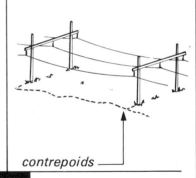

contrepoids

35. *neutre porteur*

Conducteur neutre supportant une torsade de conducteurs. (5, 10, 17)

Messenger

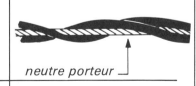

neutre porteur ⏌

36. *sous-conducteur*
conducteur élémentaire

Chacun des conducteurs entrant dans la composition d'un faisceau. (3, 10, 24)

V.a. conducteur en faisceau, torsade de conducteurs

Subconductor

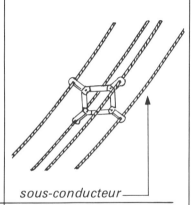

sous-conducteur ⏌

37. *torsade de conducteurs*
faisceau torsadé

Ensemble constitué par plusieurs sous-conducteurs isolés (deux, trois ou quatre) enroulés en hélice autour d'un neutre porteur. (5, 10, 15, 17, 26, 29)

● Les expressions « duplex » (duplex cable), « triplex » (triplex cable) et « quadruplex » (quadruplex cable) sont à éviter. Lorsqu'il est nécessaire de préciser le nombre de sous-conducteurs, on peut parler de « torsade double », « torsade triple » ou « torsade quadruple ».

V.a. sous-conducteur

1.3 Accessoires

38. accessoire

Tout élément de ligne ayant une fonction complémentaire. (10, 15, 17, 70, 75)

● Les accessoires de conducteurs (également appelés « pièces de conducteurs ») vont des amortisseurs aux connecteurs en passant par les boîtes d'extrémité, les manchons, les garnitures, les entretoises, etc.

Le terme « quincaillerie » (hardware) est à éviter pour désigner l'ensemble des accessoires métalliques.

Accessory

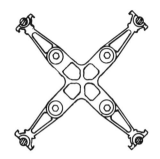

entretoise amortisseuse

connecteur à gorges parallèles

manchon (de jonction)

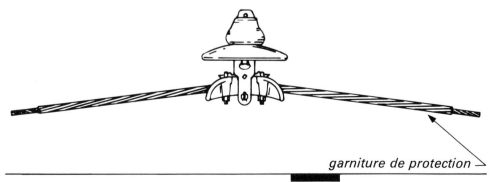

garniture de protection

1.3.1 Amortisseurs

39. amortisseur à piston

Amortisseur à poids constitué d'une masse de forme sphérique et d'un piston qui, logé entre le conducteur et la masse, amortit les vibrations en entraînant cette dernière. (5, 8, 62)

Piston(-type) damper

40. amortisseur à poids

Amortisseur comportant un poids suspendu élastiquement à un conducteur. (5, 50, 60)

● Sont compris dans cette catégorie les amortisseurs Stockbridge, à piston et à torsion.

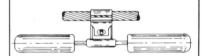

amortisseur Stockbridge

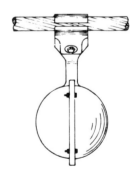

amortisseur à piston

amortisseur à torsion

41. amortisseur à torsion

Amortisseur à poids constitué d'une masse oscillante et d'une articulation munie de rondelles de caoutchouc qui assurent l'amortissement. (5, 35, 50, 62)

Torsional damper

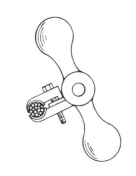

42. amortisseur (de vibrations)

Dispositif fixé à un conducteur, soit sur la pince de suspension ou sur le conducteur lui-même, et destiné à réduire ou à supprimer les vibrations dues au vent. (7, 10, 24, 50)

• Le terme « amortisseur » est parfois utilisé dans un sens moins général pour désigner uniquement les dispositifs constitués d'une masse oscillante comme les amortisseurs Stockbridge, à torsion ou à piston.

Vibration damper
Damper

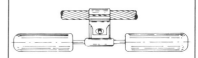

amortisseur Stockbridge

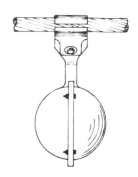

amortisseur à piston

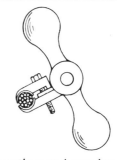

amortisseur à torsion

43. amortisseur préformé

Amortisseur constitué d'un fil enroulé autour d'un conducteur. (5, 8)

Preformed damper

44. amortisseur Stockbridge

Amortisseur à poids constitué de deux masselottes fixées symétriquement aux deux extrémités d'un câble flexible. (3, 4, 5, 10, 50, 60)

● Stockbridge est le nom du concepteur de cet amortisseur.

L'« amortisseur Salvi » (Salvi damper) est une variété de l'amortisseur Stockbridge comportant deux sections de câble de longueur inégale.

Stockbridge damper

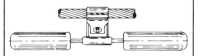

amortisseur Stockbridge

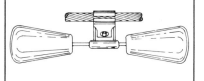

amortisseur Salvi

45. amortisseur tubulaire

Amortisseur constitué d'un tube en caoutchouc, d'un diamètre plus grand que le conducteur sur lequel il est glissé, et qui agit par impact. (50, 62)

Sleeve damper
Tube damper
Damper tube

amortisseur tubulaire ⌐

46. bloc de bretelle

Serre-fils permettant la fixation d'une bretelle antivibratoire sur un conducteur, de part et d'autre d'une pince de suspension ou à l'extrémité des dispositifs d'ancrage. (6, 10, 50, 60, 74)

V.a. serre-fils

Damper socket
Damper holder

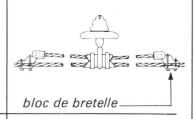

bloc de bretelle

47. bretelle antivibratoire

Amortisseur constitué d'un câble relié au conducteur, de part et d'autre d'une pince de suspension ou à l'extrémité des dispositifs d'ancrage, par des blocs de bretelle. (6, 9, 10, 50, 74)

V.a. bretelle

Jumper damper

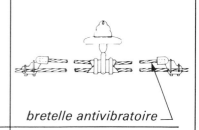

bretelle antivibratoire

48. bretelle feston

Amortisseur constitué d'un câble fixé à un conducteur à intervalles réguliers au moyen de serre-fils. (4, 6, 60)

Festoon (damper)

1.3.2 Entretoises

49. *articulation*

Ensemble de pièces mobiles assurant au bras d'une entretoise une certaine liberté de mouvement par rotation autour de son axe. (5, 10, 32, 62)

Articulation

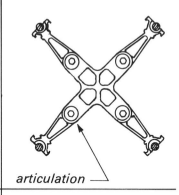

articulation ———

50. *bâti*

Partie centrale d'une entretoise sur laquelle s'articulent les mâchoires de fixation, parfois par l'entremise des bras, parfois directement. Elle peut avoir diverses formes : cadre, croix, etc. (5, 15, 62)

Frame
Platform

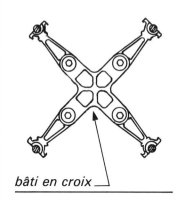

bâti en croix ———

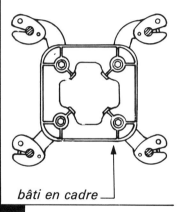

bâti en cadre ———

51. bras

Pièce qui relie le bâti de certains modèles d'entretoises amortisseuses au dispositif de fixation ou au conducteur. (5, 32, 62)

Arm

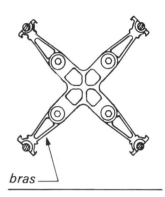

bras

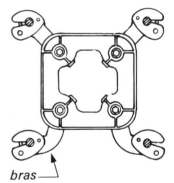

bras

52. entretoise

Dispositif qui maintient les sous-conducteurs d'un faisceau à un espacement constant. (3, 6, 9, 10, 24)

• Suivant qu'il y a deux ou quatre sous-conducteurs dans le faisceau, on parle d'« entretoise double » ou « quadruple ».

Le terme « entretoise » est féminin.

Spacer

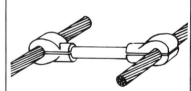

entretoise double

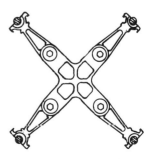

entretoise quadruple

53. *entretoise amortisseuse*
entretoise-amortisseur

Entretoise conçue de façon à amortir les vibrations des conducteurs et assurant la fonction à la fois d'entretoise et d'amortisseur. (3, 5, 24, 62)

• Le terme « entretoise-amortisseur » est un mot féminin.

Spacer damper

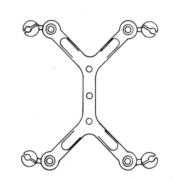

54. *entretoise à ressort*

Entretoise souple constituée d'un ressort et de mâchoires de fixation. (5, 8, 62)

Spring-type spacer

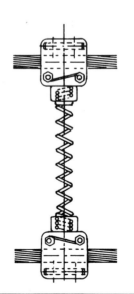

55. entretoise préformée

Entretoise souple constituée de fils d'aluminium qui s'enroulent en spirale autour de deux conducteurs et forment une boucle qui les maintient à un écartement constant. (5, 8, 62)

● Les expressions « entretoise à tige préformée » et « entretoise annulaire » sont à déconseiller.

Preformed spacer

56. entretoise rigide

Entretoise constituée de barreaux métalliques et de mâchoires ne permettant aucun mouvement des conducteurs aux points de fixation. (3, 4, 5, 8)

Rigid spacer

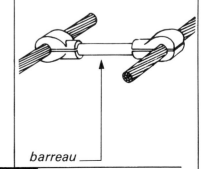

barreau

57. entretoise souple
entretoise flexible

Entretoise dotée d'un degré plus ou moins grand de souplesse. (3, 4, 5, 62, 76)

Flexible spacer

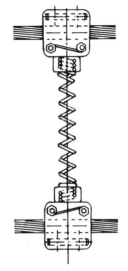

entretoise à ressort

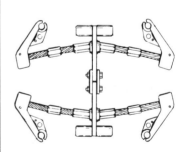

entretoise souple articulée

entretoise préformée

58. *mâchoire de fixation*
pince de fixation

Partie d'une entretoise, solidaire du bras ou du bâti, qui enserre directement un conducteur. (9, 10, 24, 32, 59, 77)

● Le terme « main » est à éviter dans ce sens.

Clamp

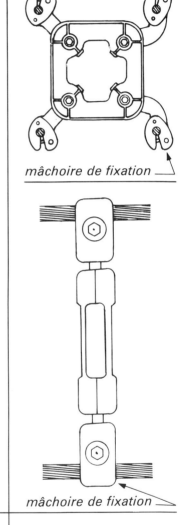

mâchoire de fixation ⟍

mâchoire de fixation ⟍

59. *main*

Partie des bras d'une entretoise destinée à tenir le sous-conducteur sans l'enserrer. (5, 32)

Seat

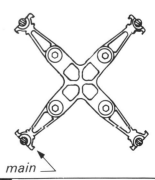

main ⟍

1.3.3 Accessoires divers

60. attache

Accessoire en plastique servant à
éviter que les sous-conducteurs d'une
torsade se déroulent ou glissent autour
du neutre porteur. (5)

Tie

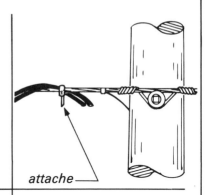

attache

61. attache préformée

Fils enroulés en hélice autour d'un
conducteur ou d'un câble de garde et
destinés à retenir une entretoise ou une
balise annulaire sur le conducteur,
ou une poulie sur le câble de garde. (5)

Tie rods

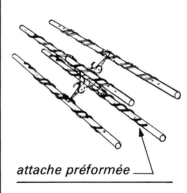

attache préformée

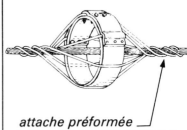

attache préformée

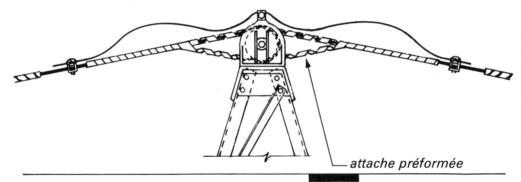

attache préformée

62. balise annulaire

Anneau d'aluminium, retenu sur un conducteur par une attache préformée en aluminium, servant au balisage diurne. L'ensemble est de couleur orange. (5, 50)

Aircraft warning marker, ring type

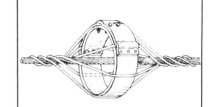

63. balise conique

Cône en métal ou en plastique de couleur orange suspendu à un conducteur et servant au balisage diurne. (5)

Aircraft warning marker, cone type

64. balise (de conducteur)

Terme générique désignant toute balise fixée à un conducteur et comprenant les balises annulaire, conique et sphérique. (5)

Aircraft warning marker

65. balise sphérique

Sphère en métal ou en plastique de couleur orange fixée à un conducteur et servant au balisage diurne. (6, 24, 59, 74)

Aircraft warning marker, sphere type

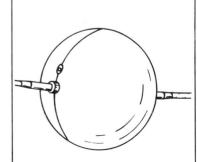

66. boîte d'extrémité

Dispositif préfabriqué et préisolé où aboutissent des câbles souterrains afin de permettre leur raccordement, au-dessus du sol, avec un réseau aérien. Une boîte d'extrémité unipolaire (single-conductor pothead) livre passage à un seul conducteur, alors qu'une boîte tripolaire (three-conductor pothead) en contient trois. (1, 5, 19, 22, 30, 67)

● L'expression « tête de câble » est à éviter.

Il existe aussi une « boîte d'extrémité modulaire » constituée par enfilage d'un nombre variable d'ailettes sur un câble souterrain. L'expression « terminaison modulaire » (modular terminator) est à éviter dans ce sens.

V.a. ailette

Pothead

boîte d'extrémité
unipolaire

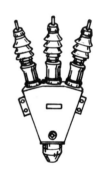

boîte d'extrémité
tripolaire

boîte d'extrémité
modulaire

67. connecteur

Raccord de forme variable que l'on fixe par compression, coincement ou serrage mécanique, servant généralement à établir une liaison électrique entre un conducteur principal et un conducteur dérivé. (5, 15)

• On trouve aussi l'expression plus générale « raccord de dérivation ».

V.a. raccord

Connector

68. connecteur à coincement

Type de connecteur dans lequel un conducteur principal et un conducteur dérivé ou une bretelle sont maintenus chacun dans une gorge par une clavette. (5, 13, 22, 72)

• L'expression « connecteur à coinçage » est à éviter.

Wedge-type connector

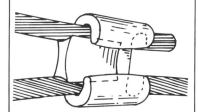

69. *connecteur à comprimer*

Type de connecteur dans lequel un
conducteur principal et un conducteur
dérivé placés côte à côte (« connecteur
en C ») ou dans des gorges distinctes
(« connecteur à gorges parallèles »)
sont rendus solidaires par compression,
opération effectuée à l'aide d'une
pince. (5)

● Le connecteur à gorges parallèles
comporte un ou deux battants, qui sont
refermés à la main.

Compression connector
C-shaped connector

connecteur en C

*connecteur à
gorges parallèles*

*connecteur à
gorges parallèles*

70. *connecteur à serrage mécanique*

Type de connecteur dans lequel le conducteur principal et le conducteur dérivé relié à la terre ou à un appareil sous tension sont maintenus en place par serrage d'un boulon. (5, 22, 74, 93)

● L'expression « connecteur à anneau » s'emploie également pour désigner le connecteur à serrage mécanique.

L'expression « pince de branchement » est à éviter.

Connector
Hot line clamp
Hot line connector

71. *coquille de dérivation*

Raccord constitué d'un tube cylindrique en deux parties, qui sont emboîtées sur le conducteur principal puis comprimées. Ce tube comprend également une plage de dérivation sur laquelle vient se fixer par boulonnage une cosse de dérivation, que l'on comprime sur le conducteur dérivé. (5, 59)

● Les expressions « connecteur en T » et « raccord de dérivation en T » sont à éviter.

V.a. manchon, raccord

T connector

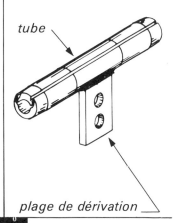

tube

plage de dérivation

72. coquille de réparation

Raccord constitué d'un tube cylindrique en une ou deux parties emboîtées sur une section endommagée du conducteur puis comprimées afin d'en restaurer les propriétés électriques. (5, 19, 24)

● L'expression « manchon compressible de réparation » est à éviter.

V.a. manchon, raccord

Repair sleeve

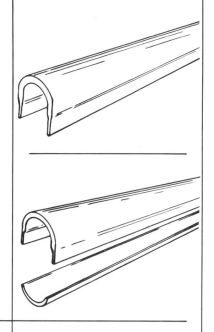

73. cosse (d'extrémité)

Raccord fixé à l'extrémité d'un conducteur et servant à effectuer sa liaison électrique. La cosse est constituée, d'une part, d'un fût à boulonner ou d'un fût en tube rond à comprimer et, d'autre part, d'une plage. (5, 6, 10, 24, 29, 59, 74, 75)

● Dans le cas du réseau de distribution, la cosse qui sert généralement à relier le conducteur à un appareil s'appelle « cosse de connexion ». Dans le cas du réseau de transport, la cosse qui permet la liaison entre un conducteur (par exemple une bretelle) et un manchon d'ancrage ou une coquille de dérivation s'appelle « cosse de dérivation ». Par ailleurs, la cosse qui sert à relier un conducteur au réseau de mise à la terre s'appelle « cosse de conducteur de terre ».

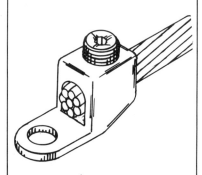

cosse de connexion

Les expressions « cosse à compresser », « cosse compressible »,
« borne de cavalier » et « manchon
compressible de cavalier » sont à
éviter.

V.a. raccord

Terminal lug
Jumper terminal

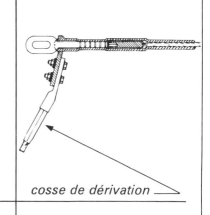

cosse de dérivation

74. crochet pour roche

Pièce de métal recourbée servant à
retenir un contrepoids contre la roche.
(5, 32)

Screw hook

75. enveloppe de protection

Boîte recouvrant la liaison de deux
tronçons de conducteur isolé afin
d'assurer l'isolement, l'étanchéité et la
tenue aux agents extérieurs. (5, 74)

● L'expression « boîtier isolant » est
à éviter.

Cover

76. étrier (fileté) boulon en U

Pièce en forme de U, filetée en partie, comportant des écrous et servant à lier deux pièces par serrage, comme dans un serre-fils. (6, 24, 36, 44, 59, 69)

• L'expression « bride » est à éviter.

U bolt

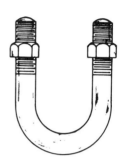

77. fût

Partie d'une cosse dans laquelle l'extrémité d'un conducteur est maintenue, soit par serrage mécanique, soit par compression. (5, 10, 43, 59, 74, 75)

Tang

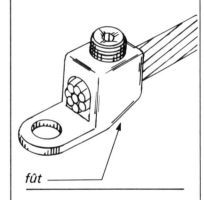

fût

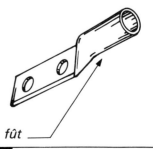

fût

78. garniture de câble armure préformée

Ensemble de fils préformés, enroulés en hélice autour d'un conducteur. (3, 4, 5, 6, 10, 70)

● Les expressions « armure préfaçonnée », « épissure préformée », « tige préfaçonnée » et « tige préformée » sont à éviter.

Preformed rods

79. garniture de protection

Type de garniture de câble fixée sur un conducteur pour le protéger contre les détériorations au point de suspension. (4, 5)

Armor rods

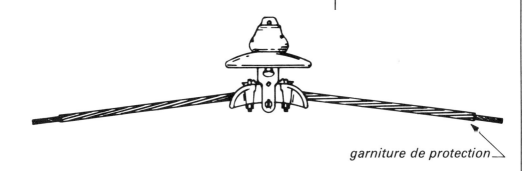

garniture de protection

80. garniture de réparation

Type de garniture de câble formant une couche complète autour du conducteur et servant à lui restituer ses propriétés électriques. (5)

Patch rods

garniture de réparation

81. gouttière

Partie d'une pince de suspension ou d'ancrage comportant une gorge et dont la fonction est de supporter le conducteur. (5, 10, 24, 59)

● Le terme « siège » est à éviter.

Body (of a clamp)

gouttière

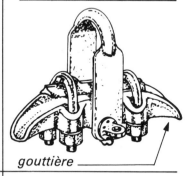

gouttière

82. lanterne

Partie d'une pince de suspension qui soutient la gouttière et par l'intermédiaire de laquelle se fait la fixation à la chaîne d'isolateurs. (5, 6, 10, 24, 59)

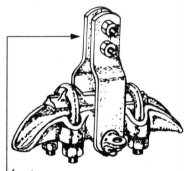

lanterne

● Les expressions « bride », « bride à genouillère » et « étrier » sont à éviter.

Suspension straps (of a suspension clamp)
Stirrup

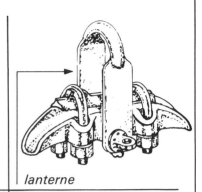

lanterne

83. *manchon*

Raccord de forme tubulaire destiné à assurer la liaison mécanique et/ou électrique de deux tronçons de conducteur ou d'un tronçon et d'une chaîne d'isolateurs. (3, 5, 10, 73)

● On emploie un « manchon isolé » pour les conducteurs isolés et un « manchon nu » pour les conducteurs nus.

Le plus souvent, le manchon assure la tenue à la pleine tension mécanique du conducteur ; il est alors appelé « manchon à pleine tension » (full tension sleeve).

Le manchon est toujours en une seule partie tandis que la coquille en comporte généralement deux.

V.a. coquille de dérivation, coquille de réparation, raccord

Joint
Conductor joint
Sleeve

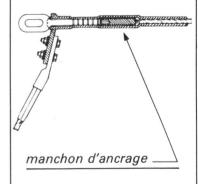

manchon d'ancrage

manchon (de jonction)

84. manchon à comprimer

Type de manchon que l'on comprime à l'aide d'une charge explosive ou par petites passes successives à l'aide d'une presse hydraulique ou mécanique. (3, 5, 6, 10, 24, 73)

● On trouve aussi l'expression « manchon comprimé ».

Les expressions « manchon à compresser » et « manchon compressible » sont à éviter.

V.a. manchon explosif

Compression joint

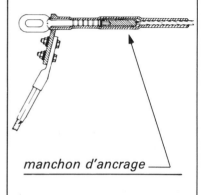

manchon d'ancrage

manchon (de jonction)

85. manchon à tension réduite

Type de manchon assurant la tenue du conducteur à une tension mécanique plus faible que le manchon à pleine tension. (5, 73)

● Ainsi, on utilise un manchon à tension réduite pour joindre deux tronçons de bretelle.

L'expression « manchon sans tension » est à éviter.

Non-tension sleeve
Non-tension joint
Tension-free sleeve
Tension-free joint

86. *manchon d'ancrage*

Type de manchon destiné à relier une extrémité d'un conducteur, mécaniquement, à la chaîne isolante ou au support et, électriquement, à un autre conducteur. (3, 6, 10, 24, 59)

• Les expressions « amarre compressible », « manchon d'amarrage » et « manchon d'arrêt » sont à éviter.

Dead-end tension joint
Dead-end joint
Dead-end sleeve
Dead-end

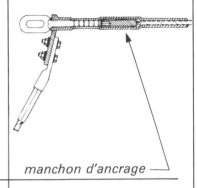

manchon d'ancrage

87. *manchon (de jonction)*

Type de manchon destiné à relier bout à bout, mécaniquement et électriquement, deux tronçons d'un conducteur. (3, 5, 10, 15, 24, 59)

• On trouve aussi l'expression plus générale « organe de jonction ».

Les expressions « manchon d'alignement », « manchon de raccordement » et « raccord de jonction » sont à éviter.

Mid-span tension joint
Conductor joint
Joint
Compression joint

88. manchon explosif

Type de manchon recouvert d'une charge explosive ou en contenant une. L'explosion externe comprime le manchon tandis que l'explosion interne force les mâchoires du manchon à se coincer sur le conducteur, réalisant ainsi la liaison. (5, 19)

V.a. manchon à comprimer

Explosion joint
Explosion sleeve

manchon contenant
une charge explosive

89. manchon pour piquet de terre

Type de manchon utilisé avec les piquets de terre composés de plusieurs éléments. (46)

V.a. piquet de (prise de) terre

Ground-rod coupling

manchon pour
piquet de terre

90. pince à glissement
pince de suspension à glissement contrôlé
pince à échappement

Pince de suspension à serrage élastique réglable, permettant le glissement du conducteur afin de protéger les supports contre les efforts longitudinaux importants qui apparaissent dans le cas de charges dissymétriques. (1, 4, 5, 6, 10, 58)

Release-type suspension clamp
Release clamp

91. pince d'ancrage

Raccord que l'on boulonne, servant à attacher un conducteur à une chaîne d'ancrage ou à un support, et pouvant soutenir la tension mécanique du conducteur. (3, 5, 6, 10, 24)

• Les expressions « pince d'amarrage » et « pince d'arrêt » sont à éviter.

Tension clamp
Strain clamp
Anchor clamp
Dead-end clamp

pince d'ancrage

pince d'ancrage droite

92. pince d'ancrage pour branchement

Pince utilisée pour l'ancrage d'un conducteur de branchement sur un poteau ou un bâtiment. (5, 22, 74)

● L'expression « pince de service » est à éviter.

Service wedge clamp

93. pince de suspension pince d'alignement

Raccord que l'on boulonne, servant à fixer un conducteur à une chaîne de suspension ou à un support. (1, 3, 4, 5, 6, 10, 24, 59, 60)

● Les pinces de suspension utilisées par Hydro-Québec sont « oscillantes », c'est-à-dire que leur corps peut osciller autour de tourillons ou d'un axe horizontal perpendiculaire au conducteur (pivot-type suspension clamp).

Suspension clamp

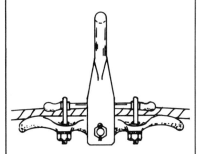

pince de suspension

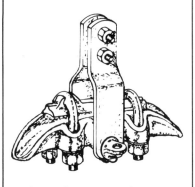

pince de suspension

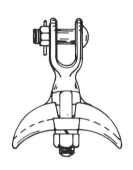

pince de suspension angulaire

94. piquet de (prise de) terre

Barre ronde métallique enfoncée verticalement dans le sol et reliée à un support de ligne ou, par l'intermédiaire d'un conducteur de terre, à un câble de garde. (4, 15, 67, 88, 89)

● Les piquets de terre, qu'ils soient tout d'une pièce ou se composent de plusieurs éléments, se terminent par une pointe conique appelée « pointe de pénétration ».

L'expression « tige de (mise à la) terre » est à éviter.

V.a. manchon pour piquet de terre

Ground rod

pointe de pénétration

95. plage

Partie d'une cosse ou d'un manchon d'ancrage ou d'une coquille de dérivation munie d'un ou de plusieurs trous permettant la fixation par boulonnage. (5, 6, 10, 24, 59)

● On parlera de « plage de dérivation » dans le cas d'une cosse de dérivation ou d'une coquille de dérivation.

Jumper lug

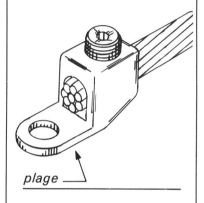

plage

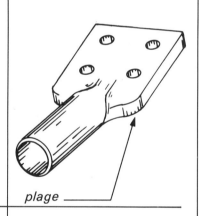

plage

96. prise de terre

Corps conducteur de faible résistance, enterré dans le sol et destiné à établir une liaison électrique avec celui-ci. (1, 4, 15, 88, 90)

● Les prises de terre des supports de lignes aériennes sont normalement des piquets de terre.

V.a. câble de garde

Grounding electrode

97. *raccord*

Terme générique s'appliquant à tout accessoire métallique qui sert à relier des conducteurs entre eux ou un conducteur à un appareil, à une membrure, etc. (5, 15, 70, 71)

Connector

Types de raccords

- raccord à comprimer
  | connecteur
  | coquille
  | cosse
  | manchon

- raccord à coincer
  | connecteur

- raccord à boulonner
  | cosse
  | pince
  | serre-fils

- raccord à visser
  | connecteur

98. *raccord pour conducteur de terre*

Terme générique s'appliquant à tout accessoire servant à relier un câble de garde, un appareil ou une membrure à un conducteur de terre. Ce raccord peut être une cosse, un connecteur, un serre-fils, etc. (5, 67, 71)

Ground-wire clamp

99. raccord pour neutre

Type de raccord de forme variable servant à relier les neutres d'au moins deux torsades de conducteurs. (5)

● L'expression « connecteur neutre » est à éviter.

Neutral connector

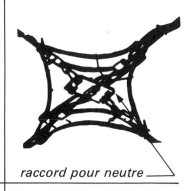

raccord pour neutre

100. raccord pour piquet de terre

Terme générique s'appliquant à tout accessoire servant exclusivement à relier un conducteur de terre à un piquet de terre. (5, 67, 71)

● L'expression « connecteur pour tige de terre » est à éviter.

Ground-rod clamp

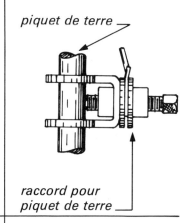

piquet de terre

raccord pour piquet de terre

101. sabot

Partie mobile d'une pince de suspension servant à maintenir le conducteur dans la gouttière. (4, 5, 10, 59)

Keeper

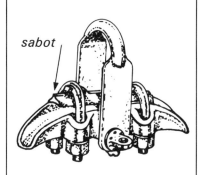

sabot

102. serre-fils bloc bifilaire

Raccord constitué de plaquettes rainurées serrées ensemble par des boulons ordinaires ou par des étriers et assurant une liaison mécanique et/ou électrique entre deux tronçons de conducteur ou entre un conducteur et une membrure de pylône, un piquet de terre, etc. (5, 15, 29)

● Les expressions « pince à câbles jumelés », « pince à gorges parallèles » sont à éviter.

V.a. bloc de bretelle, raccord

Parallel groove clamp
Bolted parallel groove connector

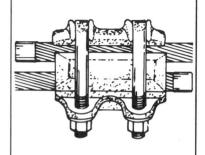

103. serre-fils pour isolateur

Type de serre-fils fixé sur la tête d'un isolateur rigide et destiné à relier mécaniquement le conducteur à l'isolateur. (5)

● L'expression « serre-fils de tête » est à éviter.

Pin-type insulator clamp

104. support de raccordement sur portée

Pièce de bois, de fibre de verre ou d'un autre matériau ayant des propriétés isolantes, qui est fixée aux conducteurs d'une ligne de distribution et à laquelle on raccorde un conducteur de branchement. (5)

Mid-span connection support
Service-line support

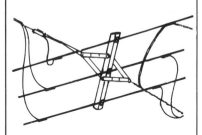

105. tendeur

Dispositif à double filetage et à lanterne permettant de régler la tension mécanique ou la longueur d'un conducteur. (5, 6, 11, 15, 24, 33)

● Le tendeur utilisé à Hydro-Québec s'appelle plus précisément « tendeur à lanterne ».

Les expressions « tendeur à vis » et « tourniquet » sont à éviter.

Turnbuckle

tendeur à chape double

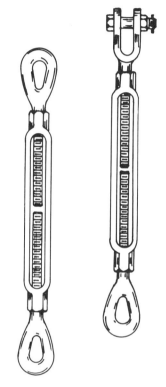

tendeur à chape à œil

tendeur à œil double

106. **tourillon**

Élément de liaison dont le diamètre est tel qu'il permet son passage à travers les trous de la lanterne et de la gouttière d'une pince de suspension, en assurant un certain débattement. (5, 6, 24, 59)

Trunnion

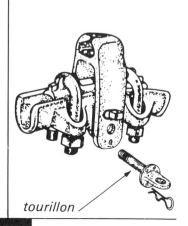

tourillon

2. Isolateurs

2.1 Constitution et caractéristiques

Parties et éléments d'un isolateur à capot et tige

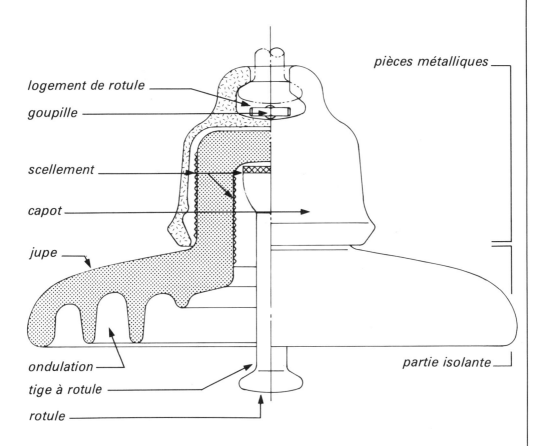

logement de rotule

goupille

scellement

capot

jupe

ondulation

tige à rotule

rotule

pièces métalliques

partie isolante

107. ailette

Partie isolante (en saillie sur le fût) d'un isolateur à long fût, destinée à augmenter la ligne de fuite. (4, 5, 6, 10, 59, 78)

V.a. boîte d'extrémité, jupe

Shed

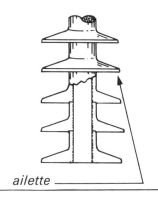

ailette

108. capot

Pièce métallique d'un isolateur à capot et tige à laquelle est reliée, dans une chaîne, la tige de l'isolateur qui précède. (4, 5, 6, 10, 15, 59)

Cap

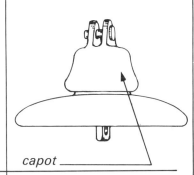

capot

109. chaîne d'ancrage

Chaîne d'isolateurs généralement horizontale, qui transmet au support la totalité de la tension mécanique d'un ou de plusieurs conducteurs. (4, 5, 6, 10, 24, 59, 78, 79)

● Les expressions « assemblage d'ancrage », « assemblage d'arrêt », « assemblage de fin de course » et « chaîne d'arrêt » sont à éviter.

Strain insulator string
Tension insulator string
Dead-end insulator string

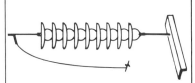

chaîne d'ancrage simple

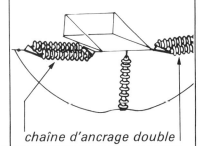

chaîne d'ancrage double

110. chaîne de portée

Chaîne horizontale constituée de deux ou de plusieurs isolateurs à capot et tige, ou d'un isolateur composite, et supportant la tension mécanique de deux conducteurs qu'elle relie entre eux. (5, 65)

● Les expressions « assemblage d'arrêt flottant » et « assemblage flottant » sont à éviter.

Floating dead-end assembly

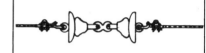

111. chaîne de suspension

Chaîne d'isolateurs verticale ou oblique, qui ne transmet pas au support la totalité de la tension mécanique mais les efforts verticaux dus au poids d'un ou de plusieurs conducteurs. (4, 5, 6, 10, 24, 59, 78, 79)

● L'expression « chaîne d'alignement » s'emploie également pour désigner la chaîne de suspension.

Les expressions « assemblage de suspension » et « assemblage d'alignement » sont à éviter.

Suspension insulator string

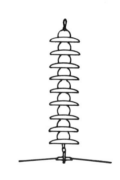

chaîne de suspension simple

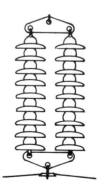

chaîne de suspension double

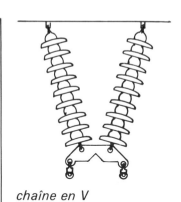

chaîne en V

112. *chaîne d'isolateurs*

Ensemble constitué d'une ou de plusieurs files d'isolateurs munies de dispositifs permettant une fixation flexible à un support. (5, 6, 24, 59, 78, 79)

● Une chaîne d'isolateurs qui comprend des accessoires tels que palonniers, anneaux de garde, etc. s'appelle plus précisément « chaîne équipée ».

Une chaîne d'isolateurs peut être de suspension ou d'ancrage. Elle peut être simple, double ou multiple.

L'expression « assemblage » est à éviter.

Insulator string

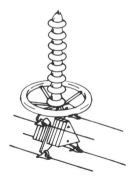

chaîne de suspension équipée

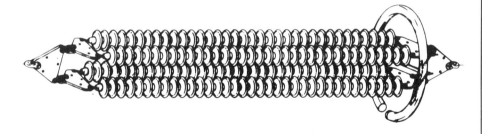

chaîne d'ancrage équipée

113. chaîne double

Chaîne constituée de deux files
d'isolateurs, parallèles ou obliques.
(4, 5, 6, 10, 59)

Duplicate string
Duplicate set

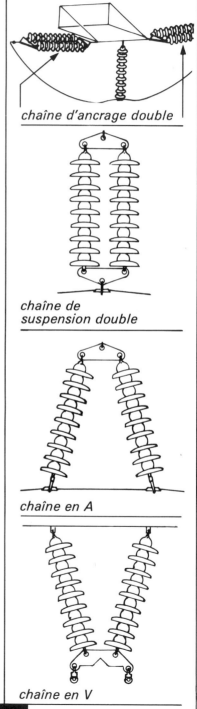

chaîne d'ancrage double

chaîne de
suspension double

chaîne en A

chaîne en V

114. chaîne en A

Type de chaîne de suspension double, constituée de deux files d'isolateurs formant une ouverture en A. (4, 5, 6, 10, 59)

A string
A set

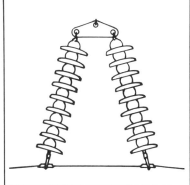

115. chaîne en V

Type de chaîne de suspension, constituée de deux ou quatre files d'isolateurs formant une ouverture en V. (3, 4, 5, 6, 10, 59)

V string
V set

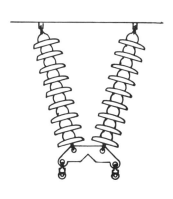

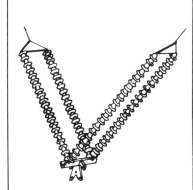

116. chaîne multiple

Chaîne constituée de plus de deux files d'isolateurs, parallèles ou obliques. (4, 5)

● On parle plus précisément de « chaîne triple » ou de « chaîne quadruple », selon le cas.

Multiple string
Multiple set

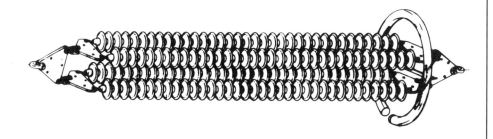

117. chaîne pour bretelle

Chaîne d'isolateurs destinée à supporter une bretelle de façon flexible. (5, 79)

● L'expression « assemblage de support de cavalier » est à éviter.

Jumper-support assembly

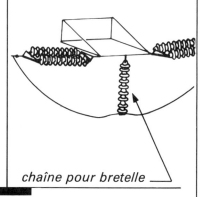

chaîne pour bretelle

118. chaîne simple

Chaîne constituée d'une seule file d'isolateurs. (4, 5, 6, 10, 59)

Single string
Single set

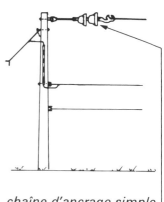

chaîne d'ancrage simple

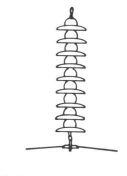

chaîne de suspension simple

119. file d'isolateurs

Ensemble constitué d'un ou de plusieurs éléments de chaîne. (5, 6, 24, 59)

String of insulators

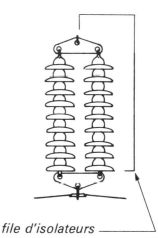

file d'isolateurs

120. fût

Partie centrale isolante d'un isolateur, ayant la forme d'un cylindre plein, supportant les ailettes et assurant la tenue mécanique. (4, 5, 10, 59, 78)

Core

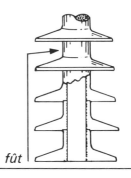

fût

121. gorge

Partie creuse d'un isolateur rigide dans laquelle est posé le conducteur. (5, 7, 10, 67)

Groove

gorge

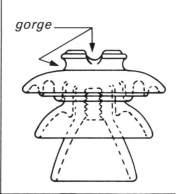

122. isolateur

Dispositif destiné à retenir mécaniquement les conducteurs aux supports et à assurer l'isolement électrique entre ces deux éléments d'une ligne. (4, 5, 6, 10, 15, 59, 78)

Insulator

Types d'isolateurs

● isolateur rigide ⎾ isolateur rigide à tige
⎿ isolateur rigide à socle

● élément de chaîne ⎾ isolateur à capot et tige
⎿ isolateur à long fût

123. jupe
cloche

Partie isolante d'un isolateur rigide à tige ou d'un isolateur à capot et tige, en forme de cloche ou de disque et destinée à augmenter la ligne de fuite. (4, 5, 6, 7, 10, 15, 59, 78)

● On emploie plutôt « cloche » lorsqu'on décrit un isolateur rigide à tige et « jupe » lorsqu'il s'agit d'un isolateur à capot et tige.

V.a. ailette

Shell
Petticoat
Disc
Shed

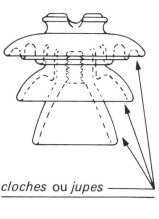

cloches ou jupes

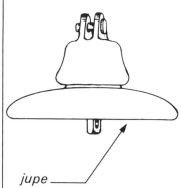

jupe

124. ligne de fuite

Distance la plus courte, le long de la surface de la partie isolante, entre deux pièces conductrices. (4, 5, 6, 10, 15, 59, 78)

Leakage path
Leakage distance
Creepage distance

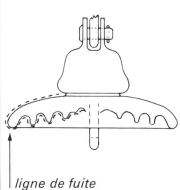

ligne de fuite

125. ondulation

Forme sinueuse, faite de courbes alternativement concaves et convexes, que prend la partie isolante sous la jupe ou l'ailette afin d'augmenter la ligne de fuite. (5, 6, 29, 59)

● L'expression « rainure » s'emploie également pour désigner l'ondulation.

Groove

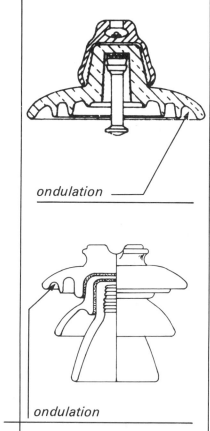

ondulation

ondulation

126. partie isolante

Partie constitutive d'un isolateur, en verre, en céramique recouverte d'émail ou en matériau synthétique. (4, 5, 10, 59, 67)

● On utilise le terme « isolant » pour désigner le matériau proprement dit.

V.a. pièce métallique

Insulating part

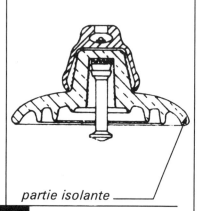

partie isolante

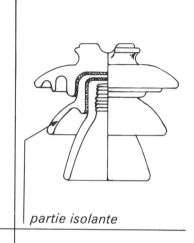

partie isolante

127. pas

Distance entre deux points identiques
consécutifs d'un isolateur à long fût
(ailettes) ou d'une file d'isolateurs.
(5, 6, 10, 59, 78)

Pitch

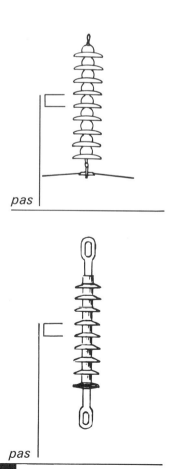

pas

pas

128. pièce métallique armature métallique

Partie constitutive d'un isolateur servant à relier les isolateurs entre eux ou au support, et devant résister aux contraintes mécaniques appliquées à l'isolateur au cours de son exploitation. (4, 5, 10, 59, 67)

● Les isolateurs rigides à tige n'ont pas de pièce métallique.

Une rotule, un logement de rotule, une chape, un tenon sont des pièces métalliques.

V.a. partie isolante

Metal part

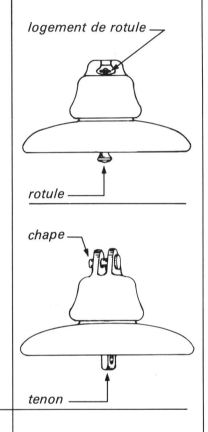

logement de rotule

rotule

chape

tenon

129. scellement

Matériau, généralement du mortier de ciment, assurant la liaison mécanique des parties isolantes entre elles ou aux pièces métalliques. (4, 5, 6, 10, 15, 59)

Cement

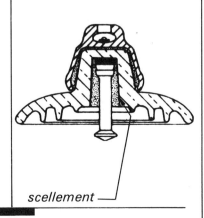

scellement

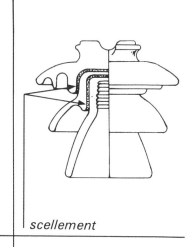

scellement

130. tige

Pièce métallique d'un isolateur à capot et tige par laquelle, dans une chaîne, on relie un isolateur à celui qui le suit. (4, 5, 6, 10, 15, 59)

• La tige peut être à rotule ou à tenon.

Pin

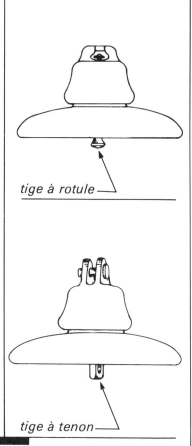

tige à rotule

tige à tenon

2.2 Types d'isolateurs

131. élément de chaîne

Type d'isolateur constitué par une partie isolante équipée des pièces métalliques nécessaires pour la relier de façon flexible à d'autres éléments de chaîne, à la pince de suspension du conducteur ou au support. (3, 4, 5, 8, 10, 15, 59, 65, 67, 78, 79)

● Il existe deux types principaux d'éléments de chaîne : les isolateurs à capot et tige et les isolateurs à long fût.

Un élément de chaîne peut être utilisé soit en suspension : « isolateur de suspension » ou « isolateur suspendu », soit en ancrage : « isolateur d'ancrage ». Les expressions « isolateur d'arrêt » et « isolateur de fin de course » sont à éviter dans ce dernier sens.

String-insulator unit
Suspension-type insulator
Dead-end insulator
Strain insulator
Tension insulator

isolateur à capot et tige

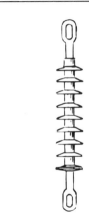

isolateur à long fût

132. isolateur à capot et tige

Élément de chaîne constitué d'un capot, d'une partie isolante en forme de jupe et d'une tige. (4, 5, 6, 10, 15, 59, 79)

V.a. capot, jupe, tige

Cap-and-pin insulator

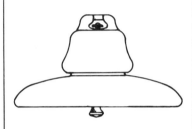

133. *isolateur à chape*

Isolateur à capot et tige ou à long fût dont la liaison au support ou avec un autre élément est réalisée par un assemblage constitué d'une chape, d'un tenon et d'un axe. (4, 5, 6, 10, 78)

V.a. chape, tenon

Clevis-and-tongue suspension insulator

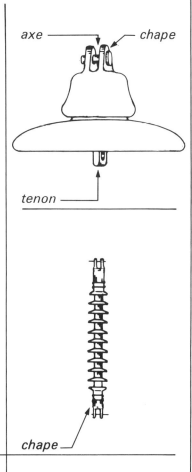

134. *isolateur à long fût*
isolateur à fût plein
isolateur à fût massif

Élément de chaîne dont la partie isolante est de forme cylindrique et comporte des ailettes. (4, 5, 6, 8, 10, 15, 59, 79)

Long-rod insulator

135. *isolateur antipollution*

Isolateur dont la forme extérieure a été conçue pour l'emploi dans des régions soumises à des pollutions de toutes sortes. (4, 5, 8, 10, 59, 79)

● L'expression « isolateur du type fogbowl » est à éviter, le terme « fogbowl » étant une marque de commerce.

Pollution-type insulator
Anti-fog insulator

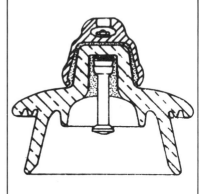

136. *isolateur à rotule*

Isolateur à capot et tige ou à long fût dont la liaison au support ou avec un autre élément est réalisée par un assemblage constitué d'une tige à rotule, d'un logement de rotule et d'une goupille. (4, 5, 6, 10, 67, 79)

V.a. logement de rotule, rotule

Ball-and-socket suspension insulator

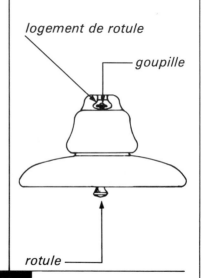

logement de rotule

goupille

rotule

137. isolateur composite

Isolateur à long fût constitué d'au moins deux matériaux isolants : un noyau supportant les efforts mécaniques, constitué de fibres de verre orientées et imprégnées de résine, et une enveloppe extérieure, en matériau synthétique, comportant des ailettes. (5, 10, 67, 80)

• Des pièces métalliques solidaires du noyau assurent la liaison de l'isolateur avec son support et avec le conducteur.

Les expressions « isolateur synthétique » et « isolateur à fût synthétique » sont à déconseiller.

Synthetic insulator
Composite insulator

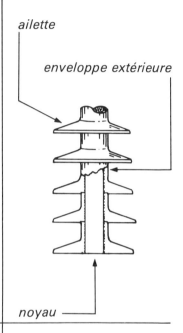

ailette

enveloppe extérieure

noyau

138. isolateur de hauban

Isolateur généralement en porcelaine comportant deux trous placés à angle droit, dans lesquels on fait passer le câble de hauban de façon à former une boucle. (5, 65, 67, 82)

• L'expression « isolateur arrêt de hauban » est à éviter.

Guy insulator
Strain insulator

139. isolateur-poulie
poulie

Isolateur en verre ou en céramique, en forme de poulie, servant au montage des conducteurs dans les installations à basse tension. (5, 15, 81)

● L'expression « isolateur-bobine » est à éviter.

Spool insulator

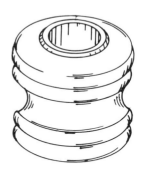

140. isolateur rigide

Type d'isolateur monté de façon rigide sur le support et principalement soumis à des efforts de flexion et de compression. (5, 10, 78, 79)

● Il existe deux types principaux d'isolateurs rigides : les isolateurs rigides à tige et les isolateurs rigides à socle.

Rigid insulator
Pin-type insulator

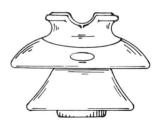

isolateur rigide à tige

isolateur rigide à socle

141. isolateur rigide à socle

Isolateur rigide qui comporte une ou plusieurs pièces en céramique ou en matériau synthétique, assemblées de façon permanente sur un socle métallique, et qui est destiné à être monté sur un support au moyen d'une tige centrale ou de boulons solidaires du socle. (4, 5, 8, 78, 79)

● L'isolateur rigide à socle comprend la tige centrale ou les boulons.

(Line) post insulator

142. isolateur rigide à tige

Isolateur rigide qui comporte une ou plusieurs pièces en céramique en forme de cloche, assemblées de façon permanente, et qui est destiné à être monté sur un support au moyen d'une tige à visser à l'intérieur de l'isolateur. (4, 5, 6, 8, 10, 78, 79)

● Ce type d'isolateur est communément appelé « isolateur rigide ».

L'isolateur rigide à tige ne comprend pas la tige.

L'expression « isolateur à cheville » est à éviter.

Pin(-type) insulator

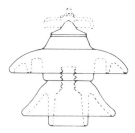

isolateur rigide
à serre-fils

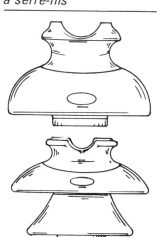

isolateurs rigides
à fil d'attache

2.3 Accessoires

143. accessoire

Tout élément de ligne ayant une fonction complémentaire. (10, 15, 17, 70, 75)

● Les accessoires d'isolateurs (également appelés « pièces d'isolateurs ») vont des chapes aux pièces de garde en passant par les consoles, les ferrures, etc.

Le terme « quincaillerie » (hardware) est à éviter pour désigner l'ensemble des accessoires métalliques.

Accessory

chape à rotule

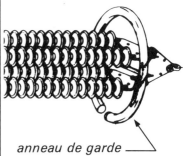

anneau de garde

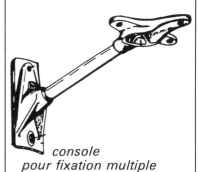

*console
pour fixation multiple*

*ferrure pour
isolateurs-poulies*

144. anneau de garde
anneau pare-effluve(s)

Pièce de garde en forme d'anneau.
(3, 4, 10, 15, 19, 78)

• L'expression « pare-effluve(s) » étant
un adjectif, on ne doit pas l'employer
pour désigner le dispositif.

V.a. corne de garde, pièce de garde

Grading ring
Arcing ring
Arcing shield
Grading shield

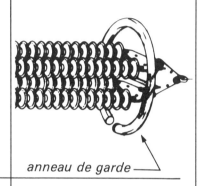

anneau de garde

145. axe (d'assemblage)

Élément de liaison dont le diamètre est
tel qu'il permet son passage à travers
les trous de plusieurs pièces, comme
une chape, un tenon ou une manille.
(5, 6, 24, 75)

• Une des extrémités de l'axe a
généralement la forme d'une tête de
rivet et l'autre extrémité comporte un
dispositif de sécurité (un écrou et une
goupille) qui maintient l'axe en place.

Clevis pin
Axle
Bolt

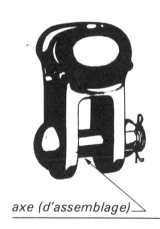

axe (d'assemblage)

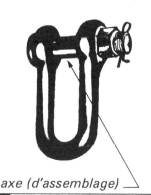

axe (d'assemblage)

146. boulon d'espacement

Type de boulon dont la vis est filetée sur une partie ou sur la totalité de sa longueur et qui sert soit à fixer une chaîne d'ancrage au poteau par l'intermédiaire d'un écrou à œil ou à chape, soit à éloigner une chaîne d'ancrage du poteau. (5, 43, 65)

V.a. boulon d'espacement (n° 97, fascicule 1), rallonge

Double arming bolt
Spacing bolt

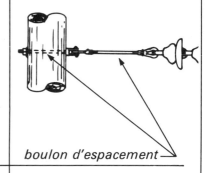

boulon d'espacement⌐

147. boulon pour isolateur-poulie

Type de boulon dont la vis, filetée à chaque extrémité, comporte deux embases : l'une servant à retenir la poulie, l'autre servant à appuyer le boulon contre le poteau. (5, 43, 65)

● L'expression « boulon d'isolateur-bobine » est à éviter.

V.a. ferrure pour isolateurs-poulies, manille pour isolateur-poulie

Spool bolt

boulon ⌐

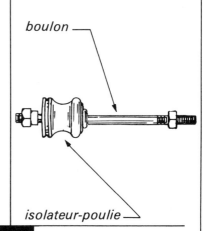

isolateur-poulie⌐

148. chape

Partie en U à l'extrémité d'une pièce et dans laquelle un tenon peut se loger. La chape est percée de deux trous dans lesquels passe l'axe d'assemblage. (5, 6, 43, 60, 78)

● On trouve, par exemple, une chape sur le capot de certains isolateurs à capot et tige.

Clevis

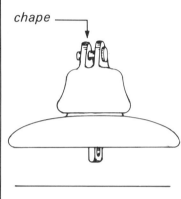

chape

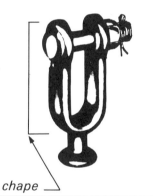

chape

149. chape à logement de rotule

Pièce dont une extrémité est constituée par une chape et l'autre par un logement de rotule. (5, 43, 60)

● L'expression « genouillère à chape » s'emploie également pour désigner la chape à logement de rotule.

L'expression « manille à rotule » est à éviter.

Socket clevis

150. chape à œil

Pièce dont une extrémité est constituée par une chape et l'autre par un œil. (5, 60, 85)

Clevis eye

151. chape à rotule

Pièce dont une extrémité est constituée par une chape et l'autre par une rotule. (5, 60, 83)

● L'expression « manille à boulet » est à éviter.

Ball clevis

152. chape double

Pièce dont chaque extrémité consiste en une chape. (5, 60, 87)

● Les expressions « double chape » et « chape à chape » sont à éviter.

Clevis-clevis connector

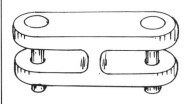

chape double

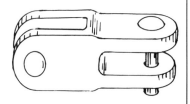

chape double à 90 °

153. chape en V

Partie en V à l'extrémité d'une pièce et dans laquelle un tenon peut se loger. La chape est percée de deux trous dans lesquels passe l'axe d'assemblage. (5, 6, 43)

• L'expression « chape en Y » est à déconseiller.

Y clevis

chape en V
à logement de rotule

chape en V à œil

chape en V à rotule

154. *console de suspension*

Pièce constituée d'une plaque destinée à être fixée au poteau et d'une tige en matériau isolant dont l'extrémité comporte un dispositif permettant d'y fixer un élément de chaîne. (5, 11, 47, 89)

Suspension bracket

155. *console en V*

Pièce en forme de V sur laquelle on installe un isolateur rigide et que l'on fixe au poteau par l'extrémité de chaque branche du V. (5)

• L'expression « support isolateur en fibre de verre » est à éviter.

V.a. vé de suspension (n° 138, fascicule 1)

Insulator bracket

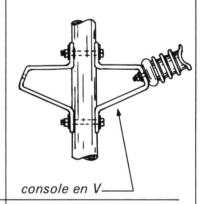

console en V

156. *console pour fixation multiple*

Pièce constituée d'une plaque destinée à être fixée au poteau et d'une tige en matériau isolant dont l'extrémité, en forme de feuille de trèfle, peut recevoir, en plus d'un isolateur rigide, des accessoires tels qu'un coupe-circuit et un parafoudre. (5, 11, 47, 89)

Cloverleaf standoff
Insulator, cutout and arrester bracket

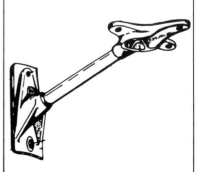

157. console pour isolateur rigide à tige

Pièce constituée d'une plaque destinée à être fixée au poteau et d'une tige en matériau isolant dont l'extrémité, filetée, peut comporter un œil de tirage. (5, 11, 47, 89)

● Certaines consoles permettent d'installer un isolateur rigide à tige en position verticale (vertical-pin standoff), d'autres en position horizontale (horizontal-pin standoff).

Single standoff insulator bracket

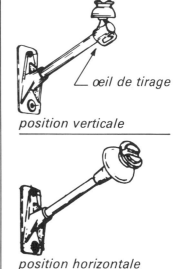

œil de tirage

position verticale

position horizontale

158. contrepoids

Masse constituée d'une ou de plusieurs galettes, généralement attachées à une pince de suspension et destinées à diminuer le soulèvement de la chaîne de suspension et, par conséquent, à limiter l'amplitude du balancement. (3, 5, 6, 24, 75)

● L'expression « pesée » est à éviter.

Suspension insulator weight
Counterweight
Hold-down weight

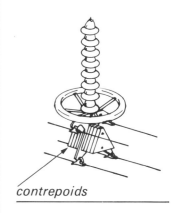

contrepoids

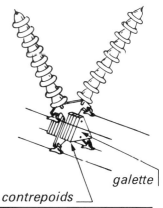

galette

contrepoids

159. corne de garde

Pièce de garde en forme de corne.
(3, 4, 6, 10, 15, 19, 78)

V.a. anneau de garde, pièce de garde

Arcing horn

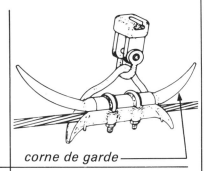

corne de garde

160. douille

Pièce cylindrique évidée, filetée à
l'intérieur et à l'extérieur et servant
d'adaptateur, c'est-à-dire permettant
la fixation de l'isolateur sur une tige
dont le diamètre et le pas de filetage
sont différents. (5, 11, 32, 84)

• L'expression « douille intermédiaire » est à déconseiller.

Pin-head adaptor

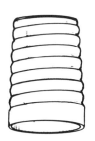

161. écrou à chape

Type d'écrou comportant une chape
sur sa face supérieure. (5, 65)

• L'expression « manille-écrou » est à
éviter.

Clevis nut

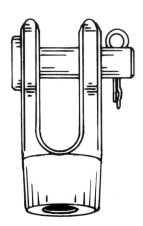

162. étrier (de fixation)

Pièce servant d'organe de liaison entre la charpente d'un pylône et la chaîne d'isolateurs. (4, 5, 6, 60, 75)

• L'étrier qui sert de liaison entre un pylône et une chaîne d'ancrage peut avoir une forme différente (voir illustration du bas).

L'expression « maillon d'accouplement » est à éviter.

V.a. étrier (fileté)

U bolt
Strain link

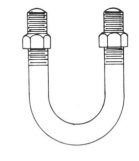

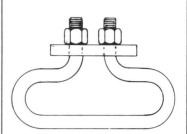

163. ferrure

Terme générique désignant tout
accessoire conçu pour supporter un
isolateur rigide, comme les tiges,
les douilles, les consoles, etc. (5, 10, 19)

Bracket
Fixture

tige de poteau

tige de tête de poteau

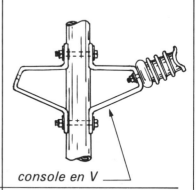

console en V

164. ferrure pour isolateur rigide à socle

Pièce servant à fixer un isolateur rigide
à socle à la tête d'un poteau. (5)

Pole-top bracket

165. ferrure pour isolateurs-poulies

Pièce servant à fixer généralement trois isolateurs-poulies au poteau. (5, 83)

● L'expression « support secondaire » est à éviter.

V.a. boulon pour isolateur-poulie, manille pour isolateur-poulie

Secondary rack

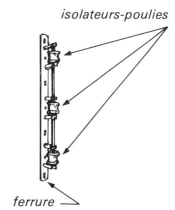

isolateurs-poulies

ferrure

166. ferrure pour tige de tête de poteau

Pièce utilisée lorsqu'il est nécessaire de fixer deux tiges à la tête d'un poteau. (5, 83)

● Le terme « espaceur » est à éviter.

Double arming foot

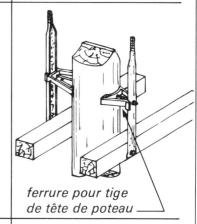

ferrure pour tige de tête de poteau

167. fil d'attache

Fil dont chaque extrémité est terminée par une boucle et qui sert à attacher un conducteur à un isolateur rigide. (5, 13, 65)

Tie wire
Binding wire

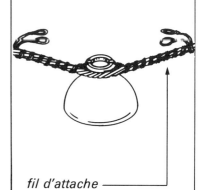

fil d'attache

168. goujon

Tige filetée à ses deux extrémités,
servant de liaison entre une ferrure
pour isolateur rigide à socle et un
isolateur rigide à socle. (5, 32, 87)

Mounting stud

169. goupille

Petite cheville que l'on insère dans
l'extrémité d'une pièce et dont les deux
branches peuvent s'écarter de façon à
bloquer cette pièce en position. (4, 5, 6,
15, 29, 78)

Split pin
Security clip

goupille _____

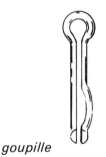

goupille

170. logement de rotule

Cavité à l'extrémité d'une pièce et
qui est destinée à recevoir une rotule
afin d'assurer une liaison articulée.
(5, 7, 78, 85)

• On trouve, par exemple, un logement
de rotule sur le capot de certains
isolateurs à capot et tige.

logement de rotule _____

L'expression « genouillère » s'emploie également pour désigner le logement de rotule.

Socket
Ball-socket

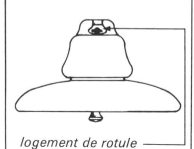

logement de rotule

171. logement de rotule à œil

Pièce dont une extrémité est constituée par un logement de rotule et l'autre par un œil. (4, 5, 7, 43, 60, 83)

● L'expression « genouillère à œil » s'emploie également pour désigner le logement de rotule à œil.

L'expression « adaptateur genouillère » est à éviter.

Socket eye
Socket tongue
Ball-socket eye

172. logement de rotule à rotule

Pièce dont une extrémité est constituée par un logement de rotule et l'autre par une rotule. (5)

● L'expression « genouillère à rotule » s'emploie également pour désigner le logement de rotule à rotule.

Socket ball

173. maillon

Pièce en forme d'anneau. (5, 6, 32, 43, 60)

Link

maillon

maillon en 8

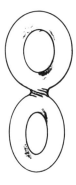

maillon en 8 à 90 °

174. manille

Pièce recourbée sur elle-même, et dont l'extrémité de chaque branche est percée d'un trou afin de livrer passage à un axe vissé ou goupillé. (4, 6, 29, 43, 60)

● Les expressions « manille d'ancrage », « maillon d'ancrage » et « manille à chaîne » sont à éviter.

Shackle

manille ordinaire

manille droite

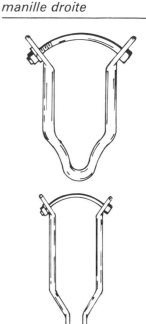

*manilles pour
isolateur de hauban*

175. manille pour isolateur-poulie

Type de manille servant à fixer une poulie au poteau. La manille est elle-même retenue au poteau par un boulon d'espacement. (5, 29, 65)

● Les expressions « manille à isolateur-bobine », « manille basse tension » et « manille secondaire » sont à éviter.

V.a. boulon pour isolateur-poulie, ferrure pour isolateurs-poulies

Secondary clevis

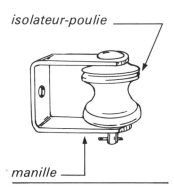

isolateur-poulie

manille

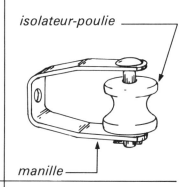

isolateur-poulie

manille

176. palonnier

Pièce métallique, de forme triangulaire, rectangulaire ou autre, permettant d'attacher plusieurs files d'isolateurs ou plusieurs conducteurs en un seul point de fixation. (3, 4, 5, 6, 78)

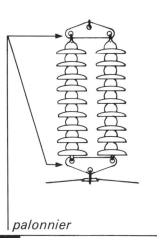

palonnier

● Le palonnier est utilisé dans les chaînes de suspension : « palonnier de suspension » et dans les chaînes d'ancrage : « palonnier d'ancrage ».

Yoke plate

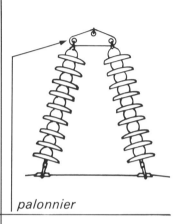

palonnier

177. *pièce de garde*
armature de protection

Pièce métallique disposée à l'une ou aux deux extrémités d'une chaîne d'isolateurs et destinée à éloigner l'arc de contournement de la chaîne, à assurer une meilleure répartition du potentiel le long de la chaîne et à réduire le champ électrique à proximité du conducteur en diminuant l'effet couronne. (4, 10, 78)

V.a. anneau de garde, corne de garde

Insulator protective fittings

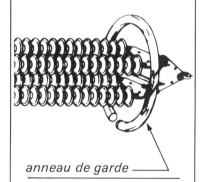

anneau de garde _____

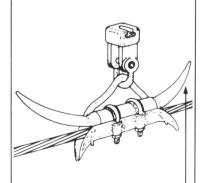

corne de garde _____

178. rallonge

Pièce qui peut prendre des formes diverses et qui sert généralement à modifier une distance à la masse ou à éloigner une chaîne d'isolateurs de la console d'un pylône. (5, 6, 43, 60, 75)

● Les expressions « barre de rallonge », « tige de rallonge » et « plaque de raccordement » sont à éviter.

V.a. boulon d'espacement

Extension strap
Extension fitting
Extension link

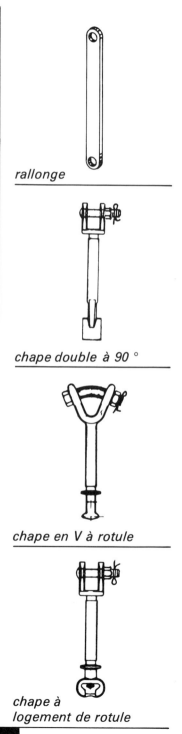

rallonge

chape double à 90 °

chape en V à rotule

chape à
logement de rotule

179. rotule

Élargissement sphérique à l'extrémité
libre d'une tige, destiné à être assemblé
avec un logement de rotule afin
d'assurer une liaison articulée. (4, 5, 6,
7, 10, 78, 85)

● L'expression « téton » s'emploie
également pour désigner la rotule.

Pin ball
Ball

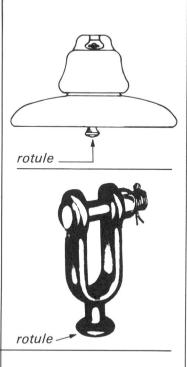

rotule

rotule

180. rotule à œil

Pièce dont une extrémité consiste en
une rotule et l'autre en un œil. (4, 5,
60, 83)

● L'expression « œillet de suspension »
s'emploie également pour désigner la
rotule à œil.

Ball eye

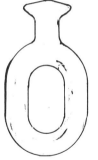

181. rotule double

Pièce dont chaque extrémité consiste en une rotule. (5, 60)

● L'expression « rotule à rotule » est à éviter.

Ball-ball adapter
Ball-ball

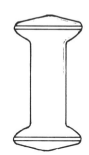

182. serre-fils pour isolateur

V. n° 103

183. tenon

Extrémité libre d'une tige destinée à se loger dans une chape et qui est percée d'un trou au travers duquel passe l'axe d'assemblage. (6, 78)

● L'expression « méplat » est à éviter.

Tongue

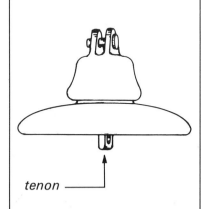

tenon

184. tige

Pièce en métal ou en fibre de verre que l'on fixe au poteau, à la traverse ou à la console d'une part, et sur laquelle on visse un isolateur rigide à tige d'autre part. (5, 65, 67, 78, 83)

● L'expression « cheville » est à éviter.

Pin

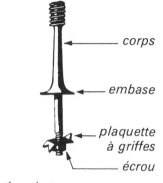

corps

embase

plaquette à griffes

écrou

tige de traverse

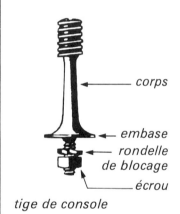

corps

embase

rondelle de blocage

écrou

tige de console

185. tige de console

Pièce en métal servant généralement à fixer un isolateur rigide à tige à la console d'un poteau à treillis ou quelquefois à une traverse métallique. (5, 78, 83)

● L'expression « cheville à console » est à éviter.

Crossarm pin

186. *tige de poteau*

Pièce en métal servant à fixer un isolateur rigide à tige directement au poteau. (5, 83)

● L'isolateur rigide à tige fixé sur la tige de poteau sert à porter le conducteur venant d'un transformateur.

Les expressions « cheville à transformateur » et « cheville-écrou » sont à éviter.

Transformer pin

187. *tige de tête de poteau*

Pièce en métal ou en fibre de verre servant à fixer un isolateur rigide à tige à la tête d'un poteau. (5, 47, 65, 78, 83)

● L'expression « cheville de tête » est à éviter.

Pole-top pin

188. *tige de traverse*

Pièce en métal servant à fixer un isolateur rigide à tige à la traverse en bois d'un poteau ou d'un portique ou à une console pour fixation multiple. (5, 78, 83)

● L'expression « cheville à traverse » est à éviter.

Crossarm pin

Index des termes français

Chaque terme de l'index est suivi d'un chiffre qui renvoie au numéro du terme.

A

---

*Expression à éviter ou à déconseiller.

B

*Expression à éviter ou à déconseiller.

C

*Expression à éviter ou à déconseiller.

---

*Expression à éviter ou à déconseiller.

D

*Expression à éviter ou à déconseiller.

E

---

*Expression à éviter ou à déconseiller.

F

G

---

*Expression à éviter ou à déconseiller.

I

*Expression à éviter ou à déconseiller.

J

L

M

---

*Expression à éviter ou à déconseiller.

N

O

P

---

*Expression à éviter ou à déconseiller.

*Expression à éviter ou à déconseiller.

T

*Expression à éviter ou à déconseiller.

Index des termes anglais

Chaque terme de l'index est suivi d'un chiffre qui renvoie au numéro du terme.

A

B

C

D

E

F

P

Q

R

S

T

U

V

W

Y

Références

1. COMMISSION ÉLECTROTECHNIQUE INTERNATIONALE (CEI), *Vocabulaire électrotechnique international, publication 50 (25) : Production, transport et distribution de l'énergie électrique,* 2e éd., Genève, 1965, 81 p.
2. MERLET, R., *Technologie d'électricité générale et professionnelle,* tome II, Paris, Dunod, 1972, 685 p.
3. VINET, Louise, *Vocabulaire anglais-français et français-anglais des lignes de transport d'électricité,* mémoire de maîtrise, faculté des études supérieures de l'Université de Montréal, Montréal, 1976, 126 p.
4. AVRIL, Charles, *Construction des lignes aériennes à haute tension,* Paris, Eyrolles, 1974, 623 p.
5. HYDRO-QUÉBEC, Comité de référence des lignes aériennes.
6. CONFÉRENCE INTERNATIONALE DES GRANDS RÉSEAUX ÉLECTRIQUES À HAUTE TENSION (CIGRÉ), *Vocabulaire des lignes aériennes* (français, anglais, espagnol), Paris, Électricité de France (EDF), 1972, 16 p.
7. MIET, M., *Étude et équipement des lignes aériennes (moyenne tension),* s.l., 1952, 2 vol.
8. HYDRO-QUÉBEC, direction Appareillage et Entretien, *Fiche d'inventaire — Support — Lignes de transport,* Montréal, 1976, 59 p.
9. *Encyclopédie pratique de la construction et du bâtiment, tome III : Travaux publics,* sous la direction de Bernard DUBUISSON, Paris, Quillet, 1968, 1 405 p.
10. HAUTEFEUILLE, Pierre, PORCHERON, Yves, *Lignes aériennes,* Techniques de l'ingénieur, fascicules D 640, D 640,1 et D 640,2, Paris, 1973, 86 p.
11. *Encyclopédie pratique de mécanique et d'électricité, tome III : Électricité et électronique,* sous la direction d'Henri DESARCES, Paris, Quillet, 1965, 1 183 p.

12. FRANCE, ministère de l'Industrie, *Conditions techniques auxquelles doivent satisfaire les distributions d'énergie électrique — Arrêté interministériel du 26 mai 1978,* Paris, Journal officiel de la République française, n° 1112, 1978, 209 p.

13. ÉLECTRICITÉ DE FRANCE (EDF), *Travaux sous tension,* s.l.n.d., 2 vol.

14. *Trésor de la langue française,* Paris, Centre national de la recherche scientifique (CNRS), 1971- .

15. SIZAIRE, Pierre, *Dictionnaire technique de la construction électrique,* Paris, Eyrolles, 1968, 168 p.

16. HYDRO-QUÉBEC, service Rédaction et Terminologie, *Vocabulaire du programme d'équipement,* projet, Montréal, 1979, 29 p.

17. ASSOCIATION FRANÇAISE DE NORMALI-SATION (AFNOR), *Travaux d'électrification rurale — Cahier des prescriptions communes,* NF C 11-200, avril 1974, 101 p.

18. MEURS, François, *Étude des lignes aériennes,* s.l., Électricité de France (EDF), 1963, 534 p.

19. *Encyclopédie des sciences industrielles Quillet, tome II : Électricité — Électronique — Applications,* Paris, Quillet, 1973, 804 p.

20. ACADÉMIE D'ARCHITECTURE, *Lexique des termes du bâtiment,* Paris, Masson, 1963, 211 p.

21. ASSOCIATION FRANÇAISE DE NORMALI-SATION (AFNOR), *Poteaux en bois,* NF C 67-100, décembre 1955, 23 p.

22. ÉLECTRICITÉ DE FRANCE (EDF), *Guide technique de la distribution — Réalisation des ouvrages, partie B.*

23. UNION INTERNATIONALE DES PRODUC-TEURS ET DISTRIBUTEURS D'ÉNERGIE ÉLECTRIQUE (UNIPEDE), *Terminologie utilisée dans les statistiques de l'industrie électrique,* juin 1975, 197 p.

24. COMMISSION ÉLECTROTECHNIQUE INTER-NATIONALE (CEI), *Comité d'études n° 11 — Recommandations pour les lignes aériennes,* janvier 1982, 40 p.

25. FÉDÉRATION NATIONALE DE SAUVE-
GARDE DES SITES ET ENSEMBLES
MONUMENTAUX, *L'électricité, la technique
et vous,* Paris, s.d., 14 p.
26. TUCOULAT, Pierre, FERRON, Marcel,
*Mémento du constructeur de lignes
aériennes de télécommunications,* Paris,
Eyrolles, 1972, 131 p.
27. BARBIER, Maurice, CARDIERGUES, Roger,
STOSKOPF, Gustave, *Dictionnaire technique
du bâtiment et des travaux publics,* Paris,
Eyrolles, 1968, 146 p.
28. ÉLECTRICITÉ DE FRANCE (EDF), *Les poteaux
en bois et leur contrôle sur les lignes de
distribution d'énergie électrique,* Paris,
1964, 39 p.
29. *Grand Larousse encyclopédique,* Paris,
Larousse, 1960, 10 vol. et 2 suppl.
30. ASSOCIATION CANADIENNE DE NORMALI-
SATION (ACNOR), *Réseaux aériens et
réseaux souterrains,* C 22.3 N° 1-M1979.
31. ASSOCIATION FRANÇAISE DE NORMALI-
SATION (AFNOR), *Semelle métallique (SM)
pour contre-fiche en bois et poteau en bois
haubané,* NF C 66-439, juillet 1974, 1 p.
32. POIGNON, Pierre, *Petit dictionnaire
technique,* Sarreguemines (Sarre), Marcel
Pierron, s.d., 32 p.
33. ASSOCIATION FRANÇAISE DE NORMALI-
SATION (AFNOR), *Ferrures pour lignes
aériennes — Tendeurs à lanterne (TL) pour
hauban souple,* NF C 66-484, juin 1955, 1 p.
34. ASSOCIATION FRANÇAISE DE NORMALI-
SATION (AFNOR), *Tirefonds ordinaires pour
rails Vignole,* NF F 50-003, mars 1971, 4 p.
35. *Catalogue Slater n° 50,* s.l.n.d., 131 p.
36. ASSOCIATION FRANÇAISE DE NORMALI-
SATION (AFNOR), *Boulonnerie courante du
commerce — Éléments d'assemblage —
Nomenclature multilingue,* NF E 27-000,
décembre 1972, 53 p.
37. ASSOCIATION FRANÇAISE DE NORMALI-
SATION (AFNOR), *Ferrures — Plaquettes
de serrage sur poteaux cylindriques (PR),*
NF C 66-433, juillet 1974, 2 p.

38. ASSOCIATION FRANÇAISE DE NORMALI-SATION (AFNOR), *Ferrures — Colliers pour fixation de ferrures sur poteaux cylindriques (CNU),* NF C 66-427, décembre 1973, 2 p.
39. ASSOCIATION FRANÇAISE DE NORMALI-SATION (AFNOR), *Ferrures — Crochet de hauban (CR),* NF C 66-466, août 1978, 1 p.
40. MOUREAU, Magdeleine, BRACE, Gerald, *Dictionnaire technique du pétrole anglais-français,* 2e éd., Paris, Technip, 1979, 946 p.
41. WÜSTER, Eugen, *Dictionnaire multilingue de la machine-outil — Volume de base anglais-français,* Londres, Technical Press, 1968.
42. COMET, Michel, *Cerclage — ficelage des emballages et charges unitaires,* Industries et techniques, n° 437, 10 novembre 1980, p. 121-132.
43. *Catalogue Lacal 700, Pole Line Hardware,* s.d., 268 p.
44. DEWEERDT, Jacques, *Vocabulaire fonda-mental de technologie,* Paris, Gamma, 1973, 268 p.
45. ASSOCIATION FRANÇAISE DE NORMALI-SATION (AFNOR), *Ferrures — Tiges de jumelage et de moisage (TG),* NF C 66-441, août 1978, 2 p.
46. FRANCE, Postes et Télécommunications, *Instructions sur la construction et l'entretien des lignes aériennes de réseau, postes, téléphones et télégraphes,* 1976.
47. *Catalogue A.B. Chance n° 1079,* septembre 1980.
48. ÉLECTRICITÉ DE FRANCE (EDF), *Notices techniques du service du transport, fascicule n° 4 : Les supports de lignes aériennes,* 1977, 77 p.
49. ASSOCIATION FRANÇAISE DE NORMALI-SATION (AFNOR), *Définitions et classifi-cation des produits sidérurgiques par formes et dimensions,* NF A 40-001, mai 1969, 19 p.
50. HYDRO-QUÉBEC, direction Appareillage et Entretien, *Normes d'entretien des lignes de transport.*

51. THERRIEN, Serge, *Première mondiale à LG 3 — Construction d'une ligne avec pylônes à chaînette,* En grande, vol. VII, n° 9, mi-mai 1980, p. 3-5.

52. GEORGES, R., DESCAMPS, Cl., *Usage des pylônes tubulaires en association avec des poteaux en béton précontraint dans la construction des lignes 70 kV de la province du Luxembourg,* Électricité, n° 169, décembre 1979, p. 39-45.

53. ÉLECTRICITÉ DE FRANCE (EDF), *Notices techniques du service du transport, fascicule n° 5 : Les conducteurs de lignes aériennes,* 1977, 42 p.

54. ASSOCIATION FRANÇAISE DE NORMALISATION (AFNOR), *Fils et câbles en cuivre dur — Fils et câbles en bronze,* NF C 34-110, mai 1980, 27 p.

55. ORGANISATION INTERNATIONALE DE NORMALISATION (ISO), *Câbles en acier — Vocabulaire,* ISO 2532 (E/F/R), 1974, 46 p.

56. ÉLECTRICITÉ DE FRANCE (EDF), *Répertoire des câbles aériens,* Paris, avril 1956, 56 p.

57. PÉLISSIER, René, *Les réseaux d'énergie électrique,* Paris, Dunod, 1971, 4 vol.

58. ASSOCIATION FRANÇAISE DE NORMALISATION (AFNOR), *Installations électriques à basse tension,* NF C 15-100, juillet 1977, p.v.

59. ÉLECTRICITÉ DE FRANCE (EDF), *Notices techniques du service du transport, fascicule n° 6 : Les divers matériels d'équipement des lignes aériennes,* 1977, 47 p.

60. ÉLECTRICITÉ DE FRANCE (EDF), Service des transports d'énergie, *Les accessoires pour isolateurs de suspension,* 1950, 188 p.

61. HYDRO-QUÉBEC, service Audiovisuel, *La danse des conducteurs,* scénario de film, décembre 1979, 12 p.

62. ST-LOUIS, Michel, personne-ressource, chef de groupe, direction Projets de lignes de transport, service Études et Normalisation, Hydro-Québec.

63. MOREAU, M., RIGOËT, P., DALLE, B., *Conception des lignes aériennes en vue d'éviter les ruptures en cascade,* Conférence internationale des grands réseaux électriques à haute tension (CIGRÉ), compte rendu des travaux de la 27e session, tome 1, rapport 22-08, Paris, 1978, 8 p.

64. CARADOT, Marc, *Les portiques en bois pour lignes aériennes,* Revue générale de l'électricité, tome 75, n° 1, janvier 1966, p. 53-65.

65. HYDRO-QUÉBEC, direction Distribution, *Normes de distribution — Réseau aérien.*

66. HYDRO-QUÉBEC, direction Distribution, *Normes de distribution — Réseau souterrain.*

67. KURTZ, Edwin B., SHOEMAKER, Thomas E., *The Lineman's and Cableman's Handbook,* Sixth Edition, Toronto, McGraw-Hill, 1981, 812 p.

68. MOREAU, Marcel, personne-ressource, chef de la division Études du matériel de lignes (EML), service Études du centre d'équipement du réseau de transport, Électricité de France (EDF).

69. OFFICE DE LA LANGUE FRANÇAISE (OLF), *Vocabulaire des boulons (anglais-français),* Éditeur officiel du Québec, édition provisoire, 1982, 55 p.

70. *Dictionnaire encyclopédique Quillet,* Paris, Quillet, 1977, 10 vol. et suppl.

71. HYDRO-QUÉBEC, direction Distribution, *Commentaires de la Distribution sur le vocabulaire adopté par le sous-comité sur les ferrures pour conducteurs électriques,* août 1981, 2 p.

72. HYDRO-QUÉBEC, direction Distribution, service Formation technique, *Travail sous tension avec des outils isolants sur le réseau moyenne tension, D 32-11 — Tome I : À partir d'un poteau,* janvier 1982.

73. ASSOCIATION FRANÇAISE DE NORMALISATION (AFNOR), *Raccords pour lignes aériennes — Raccords de jonction, de dérivation et d'extrémité,* NF C 66-800, août 1978, 19 p.

74. LOUET, Maurice, *Câbles aériens isolés,* Techniques de l'ingénieur, fascicule D 643, 1981, 9 p.

75. ÉLECTRICITÉ DE FRANCE (EDF), service Études du C.E.R.T., *Recueil des spécifications techniques des chaînes isolantes et du matériel d'équipement pour les lignes de transport de 63 kV à 400 kV,* mai 1979.

76. ÉLECTRICITÉ DE FRANCE (EDF), *Vingt-cinq ans d'études et d'essais sur le matériel électrique, partie II,* Bulletin de la Direction des Études et Recherches — Série B : Réseaux électriques, Matériels électriques, n° 3-4, 1972, p. 23-118.

77. ÉLECTRICITÉ DE FRANCE (EDF), service Normalisation et Brevets, *Entretoises pour conducteurs de lignes aériennes à haute tension,* Spécification technique HN 66-S-41, Clamart, France, janvier 1982, 20 p.

78. COMMISSION ÉLECTROTECHNIQUE INTERNATIONALE (CEI), *Comité d'étude n° 36 : Isolateurs (projet),* décembre 1977, 15 p.

79. ASSOCIATION FRANÇAISE DE NORMALISATION (AFNOR), *Isolateurs et matériel pour lignes aériennes — Isolateurs en matière céramique ou en verre destinés aux lignes aériennes de tension nominale supérieure à 1 000 volts,* NF C 66-330, juillet 1978, 43 p.

80. BEAUMONT, B., *Les isolateurs composites des lignes aériennes à très haute tension,* E.D.F. Bulletin de la Direction des Études et Recherches — Série B : Réseaux électriques, Matériels électriques, n° 4, 1979.

81. ASSOCIATION FRANÇAISE DE NORMALISATION (AFNOR), *Isolateurs et matériel pour lignes aériennes — Isolateurs en matière céramique pour tensions inférieures à 1 000 volts — Poulies hautes (PH),* NF C 66-101, septembre 1975, 2 p.

82. ASSOCIATION FRANÇAISE DE NORMALISATION (AFNOR), *Isolateurs en porcelaine — Noix de traction (NT),* C 66-141, juin 1955, 1 p.

83. Catalogue Slater n° 361, *Pole Line Hardware and Line Construction Specialities for Communications and Electric Power Lines.*

84. ASSOCIATION FRANÇAISE DE NORMALI-SATION (AFNOR), *Ferrures — Douilles DF pour fixation d'isolateurs,* NF C 66-415, juillet 1981, 2 p.

85. ASSOCIATION FRANÇAISE DE NORMALI-SATION (AFNOR), *Isolateurs et matériel pour lignes aériennes — Assemblages à rotule et logement de rotule des éléments de chaînes d'isolateurs,* NF C 66-495, octobre 1974, 23 p.

86. COPPERWELD INDUSTRIES INTERNA-TIONAL INC., *Engineering Data,* s.l.n.d.

87. Catalogue Canadian Ohio Brass n° 61, *Transmission and Distribution Hardware,* 1974, 63 p.

88. INSTITUT NATIONAL DE RECHERCHE ET DE SÉCURITÉ, *Renseignements pratiques concernant les mises à la terre,* note n° 662-57-69, Paris, 1969, 4 p.

89. *Catalogue Continental Electric Co.,* s.l.n.d.

90. INSTITUT NATIONAL DE RECHERCHE ET DE SÉCURITÉ, *Mises à la terre et prises de terre,* note n° 282-28-62, Paris, 1962.

91. ALCAN, *Alliages d'aluminium pour conduc-teurs aériens Arvidal,* Toronto, 1977, 22 p.

92. COMMISSION ÉLECTROTECHNIQUE INTER-NATIONALE (CEI), *Comité d'études n° 20 — Câbles électriques,* avril 1982, 20 p.

93. COMMISSION ÉLECTROTECHNIQUE INTER-NATIONALE (CEI), *Terminologie utilisée pour l'outillage et le matériel à utiliser dans les travaux sous tension, publication 743,* 1re éd., Genève, 1982, 69 p.

Autres documents consultés

EDF — GDF, Service central, Approvisionne-
ments et Marchés, *Nomenclature des magasins,*
Paris, EDF — GDF, 1952, 209 p.

*Encyclopédie internationale des sciences
et des techniques,* sous la direction de
R.G. MORVAN, Paris, Groupe des Presses de
la Cité, 1969, 10 vol.

FROIDEVAUX, J., *Documentation franco-
anglaise de l'énergie électrique,* Paris, Dunod,
1955, 179 p.

HYDRO-QUÉBEC, Comité des normes d'entretien des lignes de transport, *Travaux sous
tension,* document préliminaire.

————, direction Magasins, service Codification
et Normalisation, *Avis d'articles normalisés.*

————, service Rédaction et Terminologie,
études terminologiques non publiées.

Table des matières

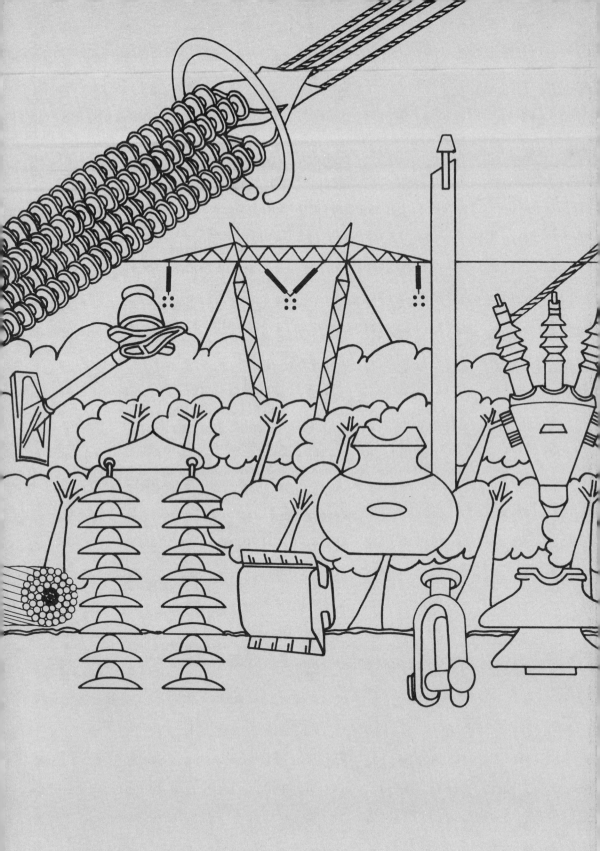

Hydro-Québec
Information
Édition et Production
ISBN 2-550-10503-6
963-2158